D1234007

F. Scott Fitzgerald
Der große Gatsby

FRANCIS SCOTT FITZGERALD

DER GROSSE GATSBY

Roman

Aus dem Amerikanischen von Kai Kilian

Anaconda

Titel der amerikanischen Originalausgabe: *The Great Gatsby*
(New York: Charles Scribner's Sons 1925).
Textgrundlage dieser Übersetzung ist die Ausgabe Oxford:
Oxford University Press 1998 [Oxford World's Classics].

Die Deutsche Nationalbibliothek verzeichnet diese Publikation in der
Deutschen Nationalbibliografie; detaillierte bibliografische Daten sind im
Internet unter http://dnb.d-nb.de abrufbar.

© 2011 Anaconda Verlag GmbH, Köln
Alle Rechte vorbehalten.
Umschlagmotiv: Martin Justice (1869–1961), »As Others See Us«
(1920er Jahre), Private Collection / bridgemanart.com
Umschlaggestaltung: www.katjaholst.de
Lektorat: Dr. Jan Strümpel, Göttingen
Satz und Layout: Silvia Langhoff, Köln
Printed in Czech Republic 2011
ISBN 978-3-86647-613-4
www.anacondaverlag.de
info@anaconda-verlag.de

Einmal mehr
für
Zelda

So trag denn den goldnen Hut, falls solches sie rührt;
  Kannst du hoch fliegen, flieg auch für sie,
Bis sie ruft: »Goldbehüteter, hochfliegender Liebling,
  Dich muss ich haben!«
                    — *Thomas Parke D'Invilliers*

KAPITEL 1

Als ich noch jünger und verwundbarer war, gab mein Vater mir einen Rat, der mir seither nicht aus dem Kopf geht.

»Wann immer du glaubst, jemanden kritisieren zu müssen«, sagte er zu mir, »denk daran, dass unter all den Menschen auf dieser Welt niemand solche Vorzüge genossen hat wie du.«

Mehr sagte er nicht, doch auf eine zurückhaltende Art pflegten wir uns außerordentlich viel mitzuteilen, und ich verstand, dass er weit mehr meinte als das. Seither halte ich mich in der Regel mit jeglichem Urteil zurück, eine Angewohnheit, die mir schon zahlreiche merkwürdige Charaktere erschlossen hat, mich zugleich aber auch so manchem altgedienten Schwätzer in die Fänge trieb. Außergewöhnliche Naturen wittern diese Eigenschaft rasch, und sie klammern sich daran, sobald sie sie an einem gewöhnlichen Menschen bemerken; so kam es, dass ich auf dem College ungerechterweise bezichtigt wurde, ein Intrigant zu sein, da ich in die geheimen Nöte ausschweifend fremdartiger Männer eingeweiht war. Die meisten dieser Bekenntnisse kamen ungebeten – oft stellte ich mich schlafend, tat beschäftigt oder gab mich leichthin feindselig, sobald ich an irgendeinem untrüglichen Zeichen erkannte, dass ein vertrauliches Geständnis heraufdämmerte; im Großen und Ganzen nämlich sind die vertraulichen Geständnisse junger Männer, oder zumindest die Worte, in die sie sie kleiden, abgekupfert und durch offenkundige Heimlichkeiten verzerrt. Mit Urteilen zurückhaltend zu sein ist eine Sache grenzenloser Zuversicht. Ich bin noch immer leicht besorgt, dass mir etwas entgeht, sollte ich vergessen, dass, wie mein Vater hochnäsig fallenließ und ich hier hochnäsig wiederhole, der Sinn für grundlegenden Anstand nicht allen gleichermaßen in die Wiege gelegt ist.

Nachdem ich nun derart mit meiner Toleranz geprahlt habe, muss ich auch eingestehen, dass sie durchaus ihre Grenzen hat. Ein bestimmtes Verhalten mag auf harten Fels oder feuchtes Marschland gegründet sein, doch ab einem gewissen Punkt ist es mir gleich, worauf es sich gründet. Als ich letzten Herbst aus dem Osten zurückkehrte, wünschte ich mir die Welt auf ewig in Uniform und in einer Art moralischer Habachtstellung; ich legte keinen Wert mehr auf wilde Streifzüge mit privilegierten Einblicken in die menschliche Seele. Nur Gatsby, der Mann, der diesem Buch seinen Namen gibt, blieb von meiner Reaktion ausgenommen – Gatsby, der für all das stand, was ich aus tiefstem Herzen verachte. Falls Persönlichkeit nichts anderes ist als eine durchgehende Abfolge gelungener Gesten, so hatte er etwas Schillerndes an sich, eine erhöhte Sensibilität für die Verheißungen des Lebens, ähnlich einem dieser komplizierten Apparate, die noch zehntausend Meilen entfernt ein Erdbeben registrieren. Seine Empfänglichkeit hatte freilich nichts zu tun mit jener läppischen Erregbarkeit, die man als »schöpferische Wesensart« überhöht – sie war eine außergewöhnliche Gabe der Hoffnung, ein romantisches Vermögen, wie ich es bei keinem anderen je gefunden habe und wahrscheinlich nie wieder finden werde. Nein – Gatsby erwies sich am Ende als rechtschaffen; was mein Interesse an den kümmerlichen Leiden und kurzlebigen Freuden der Menschen vorübergehend erkalten ließ, war das, was an Gatsby zehrte, was als fauliger Dunst seinen Träumen entstieg.

Die Mitglieder meiner Familie leben seit drei Generationen als angesehene, wohlhabende Leute hier in dieser Stadt im Mittleren Westen. Die Carraways sind so etwas wie ein Clan, und es wird überliefert, wir stammten von den Dukes of Buccleuch ab, doch der eigentliche Gründer meiner Linie war der Bruder meines Großvaters, der einundfünfzig herkam, einen andern statt seiner in den Bürgerkrieg schickte und den Eisenwarengroßhandel eröffnete, den mein Vater noch heute betreibt.

Ich habe diesen Großonkel nie zu Gesicht bekommen, aber man sagt, ich sähe ihm recht ähnlich – mit besonderem Hinweis auf das ziemlich nüchterne Porträt, das im Büro meines Vaters hängt. Meinen Abschluss in New Haven machte ich 1915, genau ein Vierteljahrhundert nach meinem Vater, und kurz darauf nahm ich an jenem verspäteten Teutonenfeldzug teil, der als Großer Krieg in die Geschichte einging. Ich genoss den Vergeltungssturm derart gründlich, dass ich nach meiner Rückkehr keine Ruhe mehr fand. Statt als wärmender Nabel der Welt erschien mir der Mittlere Westen nun als zerklüfteter Rand des Universums – also beschloss ich, in den Osten zu gehen und mich im Aktienhandel zu versuchen. All meine Bekannten waren im Aktienhandel, sodass ich annahm, einen Mann mehr werde er wohl noch ernähren können. Meine Onkel und Tanten beratschlagten die Sache, als ginge es um das richtige College für mich. Schließlich setzten sie sehr ernste, unschlüssige Mienen auf und sagten: »Also schön – ja-a.« Vater willigte ein, mich ein Jahr lang zu finanzieren, und nach ein paar Verzögerungen kam ich im Frühjahr zweiundzwanzig – für immer, wie ich dachte – an die Ostküste.

Am praktischsten wäre gewesen, in der Stadt eine Bleibe zu finden, doch der Frühling war damals recht warm und ich kam geradewegs aus einer ländlichen Gegend mit viel Grün und freundlichen Bäumen, sodass ich es für eine gute Idee hielt, als ein junger Kollege mir vorschlug, gemeinsam ein Haus in einem Vorort zu mieten. Er fand auch tatsächlich ein Haus, eine einstöckige verwitterte Pappschachtel für achtzig Dollar im Monat, doch in letzter Minute beorderte ihn die Firma nach Washington und ich zog allein aufs Land. Ich hatte einen Hund – zumindest für ein paar Tage, bis er davonlief –, einen alten Dodge und eine Finnin, die mir das Bett machte und das Frühstück zubereitete und über den Elektroherd gebeugt finnische Weisheiten vor sich hin murmelte.

Für einen Tag oder mehr war es einsam, bis mich eines Morgens auf der Straße ein Mann ansprach, der wohl noch nach mir eingetroffen war.

»Wie kommt man von hier nach West Egg Village?«, fragte er ratlos.

Ich sagte es ihm. Und als ich weiterging, war ich nicht mehr einsam. Ich war ein Wegweiser, ein Pfadfinder, ein echter Siedler. Ganz beiläufig hatte er mich zum rechtmäßigen Bürger dieser Gegend gemacht.

Und so, unter dem Sonnenschein und den kräftig ausschlagenden Bäumen, an denen die Blätter wie im Zeitraffer wuchsen, kam mir die vertraute Gewissheit, dass mit dem Sommer das Leben von Neuem begann.

Zunächst gab es so viel zu lesen, dann auch so viel Kraft aus der frischen, belebenden Luft zu ziehen. Ich kaufte ein Dutzend Bände über das Banken- und Kreditwesen sowie über Anlagepapiere, sie standen rot und golden in meinem Regal wie frisch geprägte Münzen und schienen jene funkelnden Geheimnisse preisgeben zu wollen, um die nur Midas und Morgan und Mæcenas wussten. Ich hatte mir fest vorgenommen, nebenher noch viele andere Bücher zu lesen. Im College war ich literarisch recht interessiert gewesen – in einem Jahr hatte ich sogar eine Reihe todernster und ziemlich trivialer Leitartikel für die *Yale News* geschrieben –, und nun würde ich all diese Dinge zurück in mein Leben holen und wieder zum beschränktesten aller Experten werden, zum »vielseitig gebildeten Mann«. Das ist beileibe nicht bloß ein Sinnspruch – schließlich lässt sich das Leben weit besser überblicken, wenn man es nur durch ein einziges Fenster betrachtet.

Der Zufall wollte es, dass ich ein Haus in einer der eigenartigsten Gemeinden Nordamerikas gemietet hatte. Es lag auf jener schmalen, wild-turbulenten Insel, die sich direkt östlich von New York erstreckt – und auf der es, neben anderen Launen der Natur, zwei ungewöhnliche Landgebilde gibt. Zwanzig Meilen vom Stadtzentrum entfernt ragen zwei riesige Eier, gleich in ihren Umrissen und nur durch eine hübsche Bucht voneinander getrennt, in die wohl kultivierteste Salzwasserfläche der westlichen Hemisphäre hinaus: den großen nassen Scheunenhof des Long Island Sound. Es sind keine perfekten Ovale – wie das Ei in der Kolumbus-Geschichte sind sie beide am Landende platt gedrückt –, doch ihre so ähnliche Gestalt muss den über sie hinwegfliegenden Möwen ein Quell fortwährender Verwunderung sein. Für alle Flügellosen dagegen dürfte der Umstand interessanter sein, dass sie abseits von Größe und Form völlig verschieden waren.

Ich wohnte in West Egg, dem – nun ja, dem weniger mondänen der beiden Inselteile, wenngleich dieses Etikett den bizarren und ziemlich beunruhigenden Kontrast zwischen ihnen nur höchst oberflächlich beschreibt. Mein Haus stand genau an der Spitze des Eis, keine fünfzig Meter vom Ufer entfernt und zwischen zwei riesige Villen gequetscht, die für zwölf- und fünfzehntausend Dollar pro Saison vermietet wurden. Die zu meiner Rechten war ein in jeder Hinsicht gigantischer Kasten – ein detailgetreuer Nachbau irgendeines Hôtel de Ville in der Normandie mit einem Turm an der Seite, funkelnagelneu unter einem dünnen Bartgespinst aus jungem Efeu, mit einem marmornen Swimmingpool und mehr als vierzig Morgen Park- und Rasenfläche. Dies war Gatsbys Anwesen. Oder vielmehr, da ich Mr Gatsby noch nicht kannte, das Anwesen, das ein Herr dieses Namens bewohnte. Mein eigenes Haus war ein Schandfleck, allerdings ein kleiner Schandfleck, den man geflissentlich übersah, und so konnte ich den Blick aufs Wasser, die Aussicht auf Teile des nachbarlichen Gartens und die tröstliche Nähe von Millionären genießen – und das Ganze für achtzig Dollar im Monat.

Jenseits der geschwungenen Bucht glänzten die weißen Paläste des mondänen East Egg am Ufer, und eigentlich beginnt die Geschichte dieses Sommers an jenem Abend, als ich dort hinüberfuhr, um mit den Buchanans zu Abend zu essen. Daisy war die Tochter einer Cousine zweiten Grades von mir, und Tom kannte ich noch vom College. Gleich nach dem Krieg hatte ich zwei Tage bei ihnen in Chicago verbracht.

Daisys Mann hatte sich vielfach als Sportler hervorgetan und war unter anderem einer der schlagkräftigsten Verteidiger gewesen, die je für New Haven Football gespielt hatten – gewissermaßen eine Art Volksheld, einer jener Männer, die es mit einundzwanzig zu solch spezieller Höchstleistung bringen, dass der Rest ihres Lebens nach Abstieg schmeckt. Seine Familie war unverschämt wohlhabend – schon auf dem College hatte sein verschwenderischer Umgang mit Geld für Unmut gesorgt –, doch die Art und Weise, in der er nun Chicago verlassen hatte und an die Ostküste gezogen war, verschlug einem schier die Sprache: So hatte er eine ganze Koppel von Polo-Ponys aus Lake Forest mit herübergebracht. Es war kaum zu begreifen, dass ein Mann in meinem Alter derart reich sein konnte.

Weshalb sie an die Ostküste kamen, weiß ich nicht. Zuvor hatten sie ohne besonderen Grund ein Jahr in Frankreich verbracht und sich dann rastlos mal hierhin, mal dorthin treiben lassen, wo immer die Leute Polo spielten und gemeinsam reich waren. Dieser Umzug sei nun endgültig, sagte Daisy am Telefon, aber das glaubte ich nicht – ich konnte ihr zwar nicht ins Herz sehen, doch ich hatte das Gefühl, Tom würde sein Leben lang weiter umhertreiben, ein bisschen wehmütig auf der Suche nach der erregenden Wildheit irgendeines unwiederbringlichen Football-Spiels.

So fuhr ich also eines warmen windigen Abends hinüber nach East Egg, um zwei alte Freunde zu besuchen, die ich kaum richtig kannte. Ihr Haus war noch prachtvoller, als ich erwartet hatte, eine freundliche rot-weiße Villa im georginischen Kolonialstil mit Blick auf die Bucht. Der Rasen begann direkt am Strand, lief über eine Viertelmeile auf die Eingangstür zu, sprang dabei über Sonnenuhren und Steinpfade und flammhelle Beete – und endlich beim Haus angelangt, drängte er wie noch im Schwung seines Laufs in leuchtenden Reben die

Seitenwand hinauf. Die Front war von einer Reihe Fenstertüren durchbrochen, die jetzt glühend das goldene Licht spiegelten und, weit geöffnet, die warme Brise des frühen Abends hineinließen. Tom Buchanan stand im Reitdress breitbeinig auf der Veranda.

Er hatte sich verändert seit seiner Zeit in New Haven. Jetzt war er ein stämmiger Dreißiger mit strohigem Haar, einem leicht verhärteten Zug um den Mund und herablassendem Auftreten. Zwei hochmütig funkelnde Augen hatten die Herrschaft über sein Gesicht angetreten und verliehen ihm einen Ausdruck, als recke er sich unentwegt angriffslustig vor. Selbst der eher feminine Schick seiner Reitkleidung vermochte die enorme Kraft dieses Körpers nicht zu verbergen – seine Waden schienen noch die oberste Schnürung der blitzblanken Stiefel sprengen zu wollen, und wenn er unter der dünnen Jacke seine Schulter bewegte, sah man ein riesiges Muskelpaket zucken. Es war ein Körper von gewaltiger Wucht – ein unbarmherziger Körper.

Seine Sprechstimme, ein rauer, heiserer Tenor, verstärkte noch den Eindruck der Reizbarkeit, den er vermittelte. Ein Anflug von überheblicher Geringschätzung lag darin, selbst gegenüber Menschen, die er mochte – und in New Haven hatte es viele gegeben, die ihn abgrundtief hassten.

»Nun, du musst nicht glauben, dass meine Meinung in dieser Sache unumstößlich ist«, schien er zu sagen, »nur weil ich stärker und männlicher bin als du.« Wir hatten derselben Senior Society angehört, und obwohl wir nie wirklich befreundet gewesen waren, hatte ich schon damals den Eindruck, dass er mich akzeptierte und auf seine schroffe und wehmütig trotzige Weise wollte, dass ich ihn gern hatte.

Wir unterhielten uns ein paar Minuten auf der sonnigen Veranda.

»Nettes Plätzchen, das ich hier habe«, sagte er und seine Augen irrlichterten rastlos umher.

Er nahm mich beim Arm, drehte mich um und wies mir dabei mit einem Schwung seiner breiten flachen Hand den Ausblick von der Veranda, der einen niedriger gelegenen italienischen Garten, einen halben Morgen tiefdunkler, intensiv duftender Rosen und ein stumpfnasiges Motorboot einschloss, das vor der Küste in der Strömung schaukelte.

»Es gehörte Demaine, dem Ölunternehmer.« Wieder drehte er mich herum, höflich und abrupt. »Lass uns hineingehen.«

Wir durchquerten eine hohe Eingangshalle und gelangten in einen lichten, rosenfarbenen Raum, den Fenstertüren an beiden Seiten vage mit dem Innern des Hauses verbanden. Die Fenster waren weit geöffnet und hoben sich strahlend weiß vom frischen Gras draußen ab, das ein kleines Stück ins Haus hineinzuwachsen schien. Eine Brise ging durch den Raum, wehte Vorhänge wie blasse Fahnen zur einen Seite herein und zur andern hinaus, wirbelte sie hinauf zur glasierten Hochzeitstorte von Zimmerdecke, kräuselte den weinfarbenen Teppich und hinterließ darauf ein Schattenspiel wie der Wind auf dem Meer.

Der einzige vollkommen unverrückbare Gegenstand im Raum war eine riesige Couch, auf der zwei junge Frauen schwebten wie auf einem fest verankerten Ballon. Beide waren ganz in Weiß, und ihre Kleider wogten und flatterten, als wären sie nach einem kurzen Flug ums Haus eben erst wieder hereingeweht worden. Einige Augenblicke stand ich wohl nur so da, lauschte dem Schlagen und Peitschen der Vorhänge und dem

Ächzen eines Bildes an der Wand. Dann ertönte ein dumpfer Knall, als Tom Buchanan die hinteren Fenster schloss, der im Zimmer gefangene Luftzug erstarb und die Vorhänge und der Teppich und die jungen Frauen sanken langsam zu Boden.

Die Jüngere der beiden kannte ich nicht. Sie lag ausgestreckt auf ihrer Seite des Diwans, vollkommen reglos und mit leicht erhobenem Kinn, als balancierte sie etwas darauf, das jeden Moment herunterzufallen drohte. Falls sie mich aus den Augenwinkeln wahrnahm, ließ sie es sich nicht anmerken – unwillkürlich hätte ich fast eine Entschuldigung gemurmelt, dass ich sie durch mein Erscheinen gestört hatte.

Das andere Mädchen, Daisy, machte Anstalten, sich zu erheben – sie lehnte sich mit gewissenhafter Miene ein wenig nach vorn –, dann lachte sie, ein albernes, bezauberndes kleines Lachen, und ich lachte auch und trat näher ins Zimmer.

»Ich bin wie g-gelähmt vor Freude.«

Sie lachte erneut, als hätte sie etwas sehr Geistreiches gesagt, und hielt für einen Moment meine Hand, während sie mir von unten herauf ins Gesicht sah mit einem Blick, der versicherte, dass sie sich niemanden auf der Welt so sehr herbeigewünscht hatte wie mich. Das war so ihre Art. Wispernd gab sie mir zu verstehen, der Nachname des balancierenden Mädchens sei Baker. (Manch einen habe ich sagen hören, Daisys Wispern diene nur dazu, dass die Leute sich zu ihr hinüberneigen; ein belangloser Vorwurf, der es nicht weniger hinreißend machte.)

Miss Bakers Lippen jedenfalls zitterten kurz, sie nickte mir fast unmerklich zu und legte dann rasch ihren Kopf zurück in den Nacken – offenbar war der Gegenstand, den sie balancierte, ein wenig ins Wanken geraten und hatte ihr dadurch einen leichten Schreck versetzt. Wiederum lag mir eine Entschuldigung auf der Zunge. Die Zurschaustellung derart vollkommener Selbstgenügsamkeit ringt mir fast jedes Mal ehrfürchtige Hochachtung ab.

Ich wandte den Blick wieder meiner Cousine zu, die mir jetzt mit ihrer leisen, elektrisierenden Stimme Fragen zu stellen begann. Es war eine Stimme, der das Ohr in alle Höhen und Tiefen folgt, als wäre jeder Satz ein Arrangement von Noten, das kein zweites Mal so erklingt. Daisy hatte ein trauriges, hübsches Gesicht mit leuchtenden Stellen darin, leuchtenden Augen und einem leuchtenden, sinnlichen Mund, doch in ihrer Stimme lag eine Erregung, die Männer, denen sie etwas bedeutet hatte, nur schwer vergessen konnten: ein singendes Drängen, ein raunendes »Hör doch«, eine Verheißung, sie habe eben erst köstliche, aufregende Dinge erlebt und schon die nächste Stunde halte weitere köstliche, aufregende Dinge für sie bereit.

Ich erzählte ihr, dass ich auf meinem Weg an die Ostküste einen Tag in Chicago haltgemacht hatte und ihr von einem Dutzend Leute herzliche Grüße ausrichten sollte.

»Vermissen sie mich?«, rief sie verzückt.

»Die ganze Stadt ist untröstlich. Die Autos fahren zum Zeichen der Trauer allesamt mit schwarz gestrichenen linken Hinterreifen, und am Nordufer herrscht in der Nacht ein einziges stetiges Wehklagen.«

»Wie herrlich! Lass uns zurückgehen, Tom. Gleich morgen!« Dann fügte sie wie beiläufig hinzu: »Du solltest die Kleine sehen.«

»Das würde ich gern.«

»Sie schläft. Sie ist jetzt zwei Jahre alt. Hast du sie noch nie gesehen?«

»Nein, nie.«

»Nun, das solltest du aber. Sie ist —«

Tom Buchanan, der währenddessen ruhelos durch den Raum gewandert war, blieb stehen und legte mir die Hand auf die Schulter.

»Was treibst du so, Nick?«

»Ich bin Börsenmakler.«

»Für wen?«

Ich sagte es ihm.

»Nie von denen gehört«, bemerkte er entschieden.

Das ärgerte mich.

»Wart's ab«, erwiderte ich. »Das wirst du schon noch, wenn du im Osten bleibst.«

»Oh, ich bleibe im Osten, keine Sorge«, sagte er, blickte erst kurz zu Daisy und dann wieder zu mir, als sei er wegen irgendetwas auf der Hut. »Nur ein gottverdammter Idiot würde anderswo leben wollen.«

An diesem Punkt sagte Miss Baker: »Allerdings!«, und zwar derart unvermittelt, dass ich erschrak – es war das erste Wort, das sie von sich gab, seit ich den Raum betreten hatte. Offenkundig überraschte es sie ebenso sehr wie mich, denn sie gähnte und stand dann mit einer Folge schneller, flinker Bewegungen auf.

»Ich bin ganz steif«, klagte sie. »Ich muss eine halbe Ewigkeit auf diesem Sofa gelegen haben.«

»Sieh nicht mich an«, gab Daisy zurück, »ich habe den ganzen Nachmittag versucht, dich zu einem Trip nach New York zu bewegen.«

»Nein, danke«, sagte Miss Baker mit Blick auf die vier Cocktails, die gerade aus dem Anrichteraum hereingebracht wurden, »ich bin strikt im Training.«

Ihr Gastgeber sah sie ungläubig an.

»Ach wirklich!« Er schüttete seinen Drink hinunter, als wäre er nur ein Tropfen auf dem Boden des Glases. »Wie du je irgendwas fertigbringst, ist mir ein Rätsel.«

Ich warf einen Blick auf Miss Baker und fragte mich, was es wohl war, das sie ›fertigbrachte‹. Es gefiel mir, sie anzusehen. Sie war ein schlankes, flachbrüstiges Mädchen mit einer aufrechten Körperhaltung, die sie noch unterstrich, indem sie die Schultern zurücknahm und sich straffte wie ein junger Kadett. Ihre grauen, sonnenstrapazierten Augen erwiderten meinen Blick mit höflicher Neugier aus einem blassen, reizenden, unzufriedenen Gesicht. Jetzt fiel mir ein, dass ich sie oder zumindest ein Bild von ihr irgendwo schon einmal gesehen hatte.

»Sie wohnen also in West Egg«, bemerkte sie abschätzig. »Ich kenne dort jemanden.«

»Ich kenne nicht einen einzigen —«

»Sie müssen doch Gatsby kennen.«

»Gatsby?«, fragte Daisy dazwischen. »Welchen Gatsby?«

Bevor ich antworten konnte, dass er mein Nachbar war, rief man uns zum Essen; und indem er seinen sehnigen Arm gebieterisch unter meinen klemmte, beförderte Tom Buchanan mich aus dem Raum, als bewegte er eine Schachfigur auf ein anderes Feld.

Feingliedrig, träge, die Hände leicht auf die Hüften gelegt, schlenderten die beiden jungen Frauen uns voran auf eine rosenfarbene, sich zum Sonnenuntergang öffnende Veranda, wo vier Kerzen auf einem Tisch im schwächer gewordenen Wind flackerten.

»Wozu *Kerzen*?«, beschwerte Daisy sich stirnrunzelnd. Sie schnippte sie mit den Fingern aus. »In zwei Wochen haben wir den längsten Tag des Jahres.« Sie blickte uns strahlend an.

»Wartet ihr auch immer auf den längsten Tag des Jahres und verpasst ihn dann? Ich jedenfalls warte immer auf den längsten Tag des Jahres und verpasse ihn dann.«

»Wir sollten uns irgendwas vornehmen«, gähnte Miss Baker und setzte sich an den Tisch, als ginge sie zu Bett.

»Also gut«, sagte Daisy. »Was sollen wir uns vornehmen?« Ratlos wandte sie sich an mich. »Was nehmen Menschen sich vor?«

Bevor ich antworten konnte, heftete sie ihren Blick mit entsetztem Ausdruck auf ihren kleinen Finger.

»Seht nur!«, klagte sie. »Ich hab mich verletzt.«

Wir sahen genauer hin – der Knöchel war dunkelblau.

»Das warst du, Tom«, sagte sie vorwurfsvoll. »Ich weiß, du wolltest es nicht, aber du warst es *trotzdem*. Das habe ich nun davon, dass ich so ein Untier von Mann geheiratet habe, ein riesiges, klotziges, grobschlächtiges Exemplar eines –«

»Ich hasse das Wort grobschlächtig«, unterbrach Tom sie gereizt, »auch im Scherz.«

»Grobschlächtig«, beharrte Daisy.

Manchmal redeten sie und Miss Baker gleichzeitig, unaufdringlich und mit einer neckischen Flatterhaftigkeit, die nie ganz zum Geplauder wurde, die so kühl war wie ihre weißen Kleider und ihre teilnahmslosen, nichts begehrenden Blicke. Sie waren hier, sie nahmen Tom und mich hin und machten den allenfalls höflichen, netten Versuch, zu unterhalten oder sich unterhalten zu lassen. Sie wussten, bald würde das Essen vorbei sein, und etwas später würde auch der Abend vorbei und erledigt sein. Wie vollkommen anders war das im Westen, wo man solche Abende von einer Etappe zur nächsten und bis an ihr Ende jagte, in unablässig enttäuschter Erwartung oder in blanker Furcht vor dem Augenblick selbst.

Value is all he has if Daisy is going to Gatsby → Minderwertigkeitskomplex

»Deinetwegen fühle ich mich schon ganz unzivilisiert, Daisy«, gestand ich bei meinem zweiten Glas korkigen, aber ziemlich imposanten Bordeaux'. »Kannst du nicht mal über die Ernte oder so etwas reden?«

Meine Bemerkung bezog sich auf gar nichts Bestimmtes, doch sie wurde auf unerwartete Weise aufgegriffen. *indicates the fear*

»Die Zivilisation geht sowieso vor die Hunde«, platzte Tom lautstark heraus. »Ich bin bei so was inzwischen ein schrecklicher Schwarzseher. Hast du ›Der Aufstieg der farbigen Völker‹ von diesem Goddard gelesen?« *→ fear*

»Habe ich nicht, nein«, erwiderte ich, etwas befremdet über seinen Ton. *of Minderwertigkeitskomplex*

»Tja, ist ein gutes Buch, sollte jeder gelesen haben. Der Tenor ist, dass, wenn wir nicht aufpassen, die weiße Rasse vollständig – vollständig überschwemmt wird. Ist alles wissenschaftlich belegt; alles erwiesene Tatsache.«

»Tom wird jeden Tag tiefsinniger«, sagte Daisy mit einem Ausdruck gedankenloser Traurigkeit. »Er liest schwierige Bücher mit langen Wörtern darin. Wie hieß noch das Wort, das wir –« *surprising Daisy*

»Nun, diese Bücher sind allesamt wissenschaftlich«, insistierte Tom und warf ihr einen ungeduldigen Blick zu. »Der Bursche hat das Ganze gründlich durchdacht. Wir, die überlegene Rasse, müssen auf der Hut sein, sonst werden diese anderen Rassen die Macht übernehmen.«

»Wir müssen sie niederschlagen«, flüsterte Daisy und blinzelte grimmig in die glühende Sonne.

»Ihr solltet in Kalifornien leben –«, begann Miss Baker, doch Tom unterbrach sie, indem er heftig auf seinem Stuhl herumrutschte.

»Er sagt, wir gehören zur nordischen Rasse. Ich und du und

du und –« Nach kaum merklichem Zögern schloss er mit einem leichten Nicken auch Daisy mit ein, und sie zwinkerte mir abermals zu. »– und wir haben all das hervorgebracht, was Zivilisation ausmacht – na ja, Wissenschaft und Kunst und das alles. Versteht ihr?«

Seine Konzentration hatte etwas Klägliches, als würde ihm seine Selbstgefälligkeit, heftiger denn je, nicht mehr genügen. Als fast unmittelbar darauf im Haus das Telefon klingelte und der Butler die Veranda verließ, nutzte Daisy die kurze Unterbrechung und neigte sich zu mir herüber.

»Ich verrate dir ein Familiengeheimnis«, flüsterte sie lebhaft. »Es geht um die Nase des Butlers. Willst du sie hören, die Geschichte von der Nase des Butlers?«

»Deswegen bin ich ja hergekommen.«

»Nun, er ist nicht immer Butler gewesen; davor hat er als Silberputzer bei irgendwelchen Leuten in New York gearbeitet, die ein Silberservice für zweihundert Gäste besaßen. Das musste er von morgens bis abends polieren, bis die Politur eines Tages seine Nase anzugreifen begann –«

»Die Sache wurde immer schlimmer«, warf Miss Baker ein.

»Genau. Die Sache wurde immer schlimmer, und schließlich musste er seine Anstellung aufgeben.«

Einen Augenblick lang strichen die letzten Sonnenstrahlen mit zärtlicher Hingabe über ihr glühendes Gesicht; ihre Stimme zwang mich immer weiter nach vorn, während ich ihr atemlos lauschte – dann erlosch das Glühen, zögernd, bedauernd wich alles Licht von ihr, wie Kinder in der Abenddämmerung eine heitere Straße verlassen.

Der Butler kam zurück und flüsterte Tom etwas ins Ohr, worauf dieser die Stirn runzelte, seinen Stuhl zurückschob und wortlos ins Haus ging. Als hätte seine Abwesenheit etwas in ihr zu neuem Leben erweckt, lehnte Daisy sich abermals vor, mit glühender, singender Stimme.

»Ich sehe dich so gern an meinem Tisch, Nick. Du erinnerst mich an – an eine Rose, eine vollkommene Rose. Findest du nicht?« Sie wandte sich um Zustimmung an Miss Baker. »Eine vollkommene Rose?«

Das war Unsinn. Ich erinnere nicht einmal entfernt an eine Rose. Sie improvisierte nur, doch sie verströmte dabei eine betörende Wärme, als versuchte ihr Herz, zu dir herauszukommen, verborgen in einem dieser atemlosen, erregenden Wörter. Dann plötzlich warf sie ihre Serviette auf den Tisch, entschuldigte sich und ging ins Haus.

Miss Baker und ich wechselten einen kurzen, bewusst ausdruckslosen Blick. Ich wollte gerade etwas sagen, als sie sich flink aufrichtete und mir ein warnendes »Sch!« zuwarf. Im angrenzenden Zimmer war ein gedämpftes, aufgebrachtes Flüstern zu hören, und Miss Baker beugte sich ungeniert vor, um zu lauschen. Das Flüstern war einen Augenblick lang fast zu verstehen, verebbte, brandete leidenschaftlich auf und versiegte dann ganz.

»Dieser Mr Gatsby, den Sie erwähnt haben, er ist mein Nachbar –«, begann ich.

»Nicht reden. Ich will hören, was passiert.«

»Passiert denn was?«, fragte ich arglos.

»Soll das heißen, Sie wissen es nicht?«, entgegnete Miss Baker ehrlich erstaunt. »Ich dachte, alle Welt wüsste es.«

»Ich nicht.«

»Na ja ...«, sagte sie zögernd, »Tom hat da so eine Frau in New York.«

»So eine Frau?«, wiederholte ich einfältig.

Miss Baker nickte.

»Sie sollte doch wenigstens so viel Anstand besitzen, ihn nicht zur Essenszeit anzurufen. Finden Sie nicht?«

Noch ehe ich ganz begriffen hatte, was sie meinte, hörte man ein Kleid rascheln und Lederstiefel knarren und Tom und Daisy standen wieder bei uns am Tisch.

»Tja, so ist das manchmal!«, rief Daisy angestrengt fröhlich.

Sie setzte sich, warf erst Miss Baker, dann mir einen forschenden Blick zu und fuhr fort: »Ich habe eben mal kurz nach draußen geschaut, dort ist es richtig romantisch. Da sitzt ein Vogel auf dem Rasen, eine Nachtigall, glaube ich, die bestimmt mit der Cunard oder der White Star Line herübergekommen ist. Sie singt und singt —« Ihre Stimme sang: »Ist das nicht romantisch, Tom?«

»Sehr romantisch«, sagte er, und dann kläglich, an mich gewandt: »Wenn es nach dem Essen noch hell genug ist, würde ich dir gern die Stallungen zeigen.«

Im Haus klingelte das Telefon, durchdringend, und während Daisy Tom ansah und entschieden den Kopf schüttelte, löste sich das Thema Stallungen, lösten sich sämtliche Themen buchstäblich in Luft auf. An die letzten fünf Minuten bei Tisch erinnere ich mich nur bruchstückhaft, ich weiß noch, dass jemand sinnlos die Kerzen wieder entzündete und dass ich jedem offen ins Gesicht sehen und doch allen Blicken ausweichen wollte. Ich konnte nicht ahnen, was in Daisy und Tom vorging, aber ich glaube, dass selbst Miss Baker, die sich eine gewisse robuste Skepsis anerzogen zu haben schien, das schrille metallische Drängen dieses fünften Gastes nicht völlig aus ihrem Kopf verbannen konnte. Einem anderen Naturell wäre die Situation vielleicht faszinierend erschienen – ich aber hätte am liebsten augenblicklich die Polizei gerufen.

Die Pferde wurden natürlich mit keinem Wort mehr erwähnt. Tom und Miss Baker schlenderten, mit einigen Armlängen Zwielicht zwischen ihnen, zurück in die Bibliothek wie zur Nachtwache bei einem tatsächlich greifbaren Körper, während ich mich freundlich interessiert und ein wenig verschlossen gab und Daisy über eine Reihe miteinander verbundener Veranden zur Vorderseite des Hauses folgte. Dort setzten wir uns im tiefen Abendschatten Seite an Seite auf eine Korbbank.

Daisy legte ihr Gesicht in die Hände, wie um seine hübsche Form zu ertasten, und ihr Blick wanderte langsam hinaus in die samtene Dämmerung. Ich sah, dass heftige Gefühle von ihr Besitz ergriffen hatten, und so erkundigte ich mich nach ihrer kleinen Tochter, in der Hoffnung, dass meine Fragen sie beruhigen würden.

»Wir kennen uns nicht sonderlich gut, Nick«, sagte sie plötzlich. »Obwohl wir verwandt sind. Du warst nicht auf meiner Hochzeit.«

»Ich war noch nicht aus dem Krieg zurück.«

»Richtig.« Sie zögerte. »Tja, ich hab ziemlich viel durchgemacht, Nick, und ich bin ganz schön zynisch geworden.«

Dazu hatte sie offenbar guten Grund. Ich wartete, aber sie sprach nicht weiter, und kurz darauf kam ich recht unbeholfen wieder auf ihre Tochter zurück.

»Ich nehme an, sie spricht und – isst und so weiter.«

»Oh, ja.« Geistesabwesend sah sie mich an. »Hör zu, Nick, ich will dir erzählen, was ich sagte, als sie geboren wurde. Möchtest du's hören?«

»Ja, sicher.«

»Du kannst daran sehen, wie ich inzwischen über – über die Dinge denke. Nun, sie war noch keine Stunde alt und Tom war weiß Gott wo. Ich wachte aus der Narkose auf, fühlte mich unendlich verlassen und fragte die Schwester sofort, ob es ein Junge oder ein Mädchen sei. Ein Mädchen, sagte sie mir, und ich wandte mich ab und weinte. ›Na schön‹, sagte ich, ›ich bin froh, dass es ein Mädchen ist. Und ich hoffe, sie wird ein Dummkopf – das ist das Beste, das ein Mädchen in dieser Welt sein kann, ein hübscher kleiner Dummkopf.‹

Du siehst, ich finde sowieso alles ganz furchtbar«, fuhr sie mit Nachdruck fort. »Alle denken so – auch die kultiviertesten Leute. Und ich *kenne* das alles. Ich bin überall schon gewesen, hab alles gesehen und alles gemacht.« Ihre Augen flackerten aufsässig, ähnlich wie Toms, und sie lachte schrill und höhnisch. »Weltklug – Gott, ich bin so weltklug!«

Kaum war ihre Stimme abgebrochen und meine Aufmerksamkeit, mein Zutrauen nicht länger in Bann geschlagen, ahnte ich die völlige Unaufrichtigkeit ihrer Worte. Ich fühlte mich unbehaglich, als wäre der ganze Abend nur eine Art Trick gewesen, um mir eine Regung der Anteilnahme abzuringen. Ich wartete, und tatsächlich, im nächsten Moment sah sie mich an mit einem ganz und gar affektierten Lächeln auf ihrem hübschen Gesicht, als hätte sie soeben unmissverständlich klargestellt, dass sie und Tom einem besonders exklusiven Geheimbund angehörten.

Im Haus war der karmesinrote Raum strahlend hell erleuchtet. Tom und Miss Baker saßen je an einem Ende der langen Couch, und sie las ihm aus der *Saturday Evening Post* vor – die Worte, ein unmoduliertes Gemurmel, zerflossen zu einer sanfttönenden Melodie. Das Lampenlicht glänzte auf seinen Stiefeln, lag matt auf ihrem herbstlaubgelben Haar und schimmerte auf dem Papier, während sie mit zittrigem Spiel ihrer schlanken Armmuskeln eine Seite umblätterte.

Als wir eintraten, gebot sie uns mit erhobener Hand, noch einen Moment still zu sein.

»Fortsetzung folgt«, sagte sie und warf das Magazin auf den Tisch, »in unserer nächsten Ausgabe.«

Ihr Körper rief sich mit einem nervösen Zucken des Knies in Erinnerung, und sie stand auf.

»Zehn Uhr«, bemerkte sie und schien die Zeit an der Decke abzulesen. »Dieses artige Mädchen gehört jetzt ins Bett.«

»Jordan spielt morgen bei dem Turnier«, erklärte Daisy, »drüben in Westchester.«

»Oh – Sie sind *Jordan* Baker.«

Ich wusste jetzt, weshalb ihr Gesicht mir vertraut war – sein angenehm hochmütiger Ausdruck hatte mir aus vielen Tiefdruckfotografien vom sportlichen Treiben in Asheville, Hot Springs und Palm Beach entgegengeblickt. Ich hatte über sie auch eine Geschichte gehört, eine unschöne, heikle Geschichte, aber worum es ging, hatte ich längst vergessen.

»Gute Nacht«, sagte sie leise. »Weckt mich um acht, ja?«

»Wenn du dann aufstehst.«

»Das werde ich. Gute Nacht, Mr Carraway. Auf bald.«

»Auf sehr bald sogar«, bekräftigte Daisy. »Im Ernst, ich glaube, ich werde euch beide miteinander verkuppeln. Komm nur oft zu uns, Nick, und ich bringe euch zwei schon irgendwie – oh – ans Anbändeln. Ihr wisst schon, euch versehentlich im Wäscheschrank einsperren, in einem Boot aufs Meer hinausstoßen und all solche Sachen –«

»Gute Nacht!«, rief Miss Baker von der Treppe aus. »Ich habe nicht ein Wort verstanden.«

»Ein nettes Mädchen«, sagte Tom nach einer Weile. »Sie sollten sie nicht so allein in der Gegend herumlaufen lassen.«

»Wer sollte das nicht?«, erwiderte Daisy kühl.

»Ihre Familie.«

»Ihre Familie besteht aus einer einzigen Tante, die ungefähr tausend Jahre alt ist. Außerdem kümmert Nick sich ja jetzt um sie, nicht wahr, Nick? Sie wird diesen Sommer einige Wochenenden hier draußen verbringen. Der häusliche Einfluss wird ihr bestimmt guttun.«

Daisy und Tom sahen sich einen Augenblick schweigend an.

»Ist sie aus New York?«, fragte ich rasch.

»Aus Louisville. Dort haben wir gemeinsam unsere weiße Kindheit verbracht. Unsere prächtige weiße –«

»Hast du Nick auf der Veranda dein Herz ausgeschüttet?«, fragte Tom jäh dazwischen.

»Hab ich das?« Sie schaute mich an. »Ich weiß es nicht mehr so genau, aber ich glaube, wir sprachen über die nordische Rasse. Ja, ganz sicher. Es kam wie aus heiterem Himmel, und ehe man sich's versieht –«

»Glaub nur nicht alles, was du hörst, Nick«, riet er mir.

Ich sagte leichthin, ich hätte überhaupt nichts gehört, und einige Minuten später erhob ich mich, um nach Hause zu gehen. Sie begleiteten mich zur Tür und standen Seite an Seite in einem fröhlichen Rechteck aus Licht. Als ich den Motor anließ, rief Daisy gebieterisch: »Warte! Ich habe vergessen, dich etwas zu fragen, etwas Wichtiges. Wir haben gehört, dass du draußen im Westen mit einem Mädchen verlobt bist.«

»Stimmt«, bestätigte Tom freundlich. »Wir haben gehört, du hättest dich verlobt.«

»Eine Verleumdung. Dafür bin ich zu arm.«

»Aber wir haben es gehört«, beharrte Daisy und blühte zu meiner Überraschung noch einmal auf wie eine Blume. »Wir haben es von drei Leuten gehört, es muss also wahr sein.«

Ich wusste natürlich, wovon sie sprachen, aber ich war nicht einmal im Ansatz verlobt. Die Tatsache, dass man in der Gerüchteküche bereits das Aufgebot bestellt hatte, war einer der Gründe, warum ich in den Osten gezogen war. Derlei Gerede ist sicher kein Anlass, einer alten Freundin den Laufpass zu geben, andererseits hatte ich nicht vor, mich in eine Ehe hineintratschen zu lassen.

Das Interesse der beiden rührte mich und ließ sie in ihrem Reichtum weniger unerreichbar erscheinen – dennoch war ich verwirrt und leicht verärgert, als ich davonfuhr. Mir schien, das einzig Richtige für Daisy wäre gewesen, wenn sie auf der Stelle das Haus verlassen hätte, mit dem Kind auf dem Arm – doch offenbar hatte sie nichts dergleichen im Sinn. Was Tom betraf, so überraschte mich weniger der Umstand, dass er »so eine Frau in New York hatte«, als dass er sich von einem Buch hatte deprimieren lassen. Irgendetwas ließ ihn an den Rändern schaler Ideen nagen, als könnte seine beharrliche physische Selbstsucht sein herrisches Herz nicht länger ernähren.

Es war bereits Hochsommer auf den Dächern der Rasthäuser und vor den Werkstätten am Straßenrand, wo neue rote Zapfsäulen in Teichen aus Licht thronten, und als ich mein Grundstück in West Egg erreicht hatte, fuhr ich den Wagen in seinen Unterstand und setzte mich für eine Weile auf eine vergessene Rasenwalze in den Garten. Der Wind war abgeflaut und hatte eine geräuschvolle, lebhafte Nacht hinterlassen, erfüllt vom Flügelschlag in den Bäumen und einem beständigen Orgelton aus den vollen Lungen der Erde, die den Fröschen das Leben einbliesen. Der Schattenriss einer Katze flackerte über das Mondlicht, und als ich den Kopf wandte, um ihm zu folgen, bemerkte ich, dass ich nicht allein war – fünfzig Fuß entfernt war eine Gestalt aus dem Dunkel der Nachbarvilla getreten, stand nun da, die Hände in den Taschen vergraben, und betrachtete die silbrigen Sternensprenkel. Irgendetwas an seinen gemächlichen Bewegungen und am festen Stand seiner Füße auf dem Rasen sagte mir, dass dies Mr. Gatsby persönlich sein musste, der herauskam, um nachzusehen, welcher Teil unsres hiesigen Himmels der seinige war.

Ich entschloss mich, ihn anzusprechen. Miss Baker hatte beim Essen seinen Namen erwähnt, das sollte als Anknüpfungspunkt genügen. Doch es kam nicht dazu, denn plötzlich ließ er deutlich erkennen, dass er allein sein wollte – er streckte seine Arme auf seltsame Weise gegen das dunkle Wasser hin aus, und trotz der Entfernung hätte ich schwören können, dass er zitterte. Unwillkürlich blickte ich Richtung Meer – und sah dort nichts als ein einzelnes grünes Licht, winzig und weit entfernt, vielleicht am Ende eines Piers. Als ich mich noch einmal nach Gatsby umschaute, war er verschwunden, und ich war wieder allein in der unruhigen Dunkelheit.

KAPITEL 2

Etwa auf halber Strecke zwischen West Egg und New York schließt sich die Autostraße urplötzlich der Eisenbahntrasse an und läuft für eine Viertelmeile neben ihr her, als schreckte sie vor einem bestimmten trostlosen Landstrich zurück. Es ist ein Tal der Asche – eine fantastische Farm, wo Asche wie Weizen gedeiht und sich zu Graten und Hügeln und grotesken Gärten auswächst; wo Asche die Form von Häusern und Schloten und Rauchsäulen annimmt und schließlich, mit übernatürlicher Anstrengung, auch die Form aschgrauer Menschen, die sich wie schon zerfallende Schatten durch die pudrige Luft bewegen. Hin und wieder kriecht eine Reihe grauer Waggons über ein unsichtbares Gleis, stößt ein gespenstisches Kreischen aus und kommt zum Stehen, und augenblicklich schwärmen die aschgrauen Menschen mit bleiernen Spaten aus und wirbeln eine undurchdringliche Wolke auf, die ihre düstere Geschäftigkeit vor allen Blicken verbirgt.

Oberhalb der grauen Landschaft aber und noch über den trostlosen Staubschwaden, die beständig darüber hinwegziehen, bemerkt man nach einer Weile die Augen von Doktor T. J. Eckleburg. Die Augen von Doktor T. J. Eckleburg sind blau und riesengroß – mit Augäpfeln, fast einen Meter im Durchmesser. Sie schauen aus keinem Gesicht, sondern hinter einer riesigen gelben Brille hervor, die auf einer nicht vorhandenen Nase sitzt. Offenbar hat irgendein Witzbold von Augenarzt sie dort hingepflanzt, um seine Praxis im Stadtbezirk Queens anzukurbeln, und ist anschließend selbst in ewiger Blindheit versunken, oder er hat sie vergessen und ist fortgezogen. Seine Augen jedoch, ein wenig trüb geworden von vielen farblosen Tagen unter Sonne und Regen, brüten weiter über der düsteren Schutthalde.

Das Tal der Asche wird auf einer Seite von einem kleinen stinkenden Fluss begrenzt, und wenn die Brücke hochgezogen ist, um Lastkähne passieren zu lassen, dürfen die Fahrgäste der wartenden Züge bis zu einer halben Stunde lang auf die trostlose Szenerie starren. Man steht dort eigentlich immer wenigstens eine Minute, und bei einer solchen Gelegenheit traf ich zum ersten Mal auf Tom Buchanans Geliebte.

Dass er eine hatte, schien in seinen Kreisen eine allseits bekannte Tatsache zu sein. Die Leute verübelten es ihm, dass er mit ihr in beliebten Lokalen auftauchte und sie am Tisch zurückließ, während er umherschlenderte und mit wer weiß wem plauderte. Obwohl ich durchaus neugierig auf sie war, legte ich keinerlei Wert darauf, ihr zu begegnen – und doch kam es dazu. Eines Nachmittags fuhren Tom und ich mit dem Zug nach New York, und als wir bei den Aschehalden anhielten, sprang er auf, packte mich am Ellbogen und zerrte mich förmlich aus dem Waggon.

»Wir steigen aus«, drängte er. »Ich möchte, dass du mein Mädchen kennenlernst.«

Ich glaube, er hatte zu Mittag einiges in sich hineingeschüttet, und die Art, wie er auf meiner Gesellschaft beharrte, konnte man geradezu hitzig nennen. Selbstherrlich ging er davon aus, dass ich an einem Sonntagnachmittag nichts Besseres vorhatte.

Wir stiegen über einen niedrigen, weiß getünchten Zaun an der Trasse und gingen unter Doktor Eckleburgs starrem Blick etwa hundert Meter die Straße zurück. Das einzige Gebäude weit und breit war ein kleiner Block aus gelben Ziegeln am Rand der Einöde, der über eine Art schmale Hauptstraße zugänglich war und an rein gar nichts angrenzte. Einer der drei Läden, die er beherbergte, war zu vermieten, der zweite ein Restaurant, das die ganze Nacht geöffnet hatte; der dritte war eine Autowerkstatt – *Reparaturen*. GEORGE B. WILSON. *An- und Verkauf* –, und ich folgte Tom hinein.

Der Innenraum wirkte dürftig und kahl; nur ein einziges Auto war zu sehen, das staubbedeckte Wrack eines Ford, das sich in eine düstere Ecke duckte. Mir schoss bereits durch den Kopf, dass dieser Schatten von einer Werkstatt eine Attrappe sein müsse und dass sich im Obergeschoss wohl romantische Luxus-Apartments verbargen, als in einer Bürotür der Besitzer erschien und sich die Hände an einem alten Lappen abwischte. Er war ein blonder, kraftloser Mann, blutarm und leidlich gut aussehend. Als er uns bemerkte, sprang ein leiser Schimmer der Hoffnung in seine hellblauen Augen.

»Tag, Wilson, mein Alter«, sagte Tom und schlug ihm jovial auf die Schulter. »Was macht das Geschäft?«

»Kann nicht klagen«, erwiderte Wilson wenig überzeugend. »Wann verkaufen Sie mir den Wagen?«

»Nächste Woche; einer meiner Männer arbeitet noch dran.«

»Lässt sich wohl Zeit damit, was?«

»Nein, tut er nicht«, sagte Tom kalt. »Und wenn Sie so darüber denken, sollte ich ihn wohl besser woanders verkaufen.«

»So meinte ich's nicht«, erklärte Wilson hastig. »Ich meinte nur ...«

Seine Stimme verklang, und Tom schaute sich ungehalten in der Werkstatt um. Dann hörte ich Schritte auf der Treppe, und einen Augenblick später schob sich die üppige Gestalt einer Frau vor das durch die Bürotür hereinfallende Licht. Sie war ungefähr Mitte dreißig und etwas füllig, gehörte aber zu den Frauen, die ihre Rundungen mit Sinnlichkeit zu tragen verstehen. Ihr Gesicht über dem getupften Kleid aus dunkelblauem Crêpe de Chine zeigte nicht den leisesten Anflug von Schönheit, doch sie strahlte eine unvermittelt spürbare Vitalität aus, als herrschte in den Nerven ihres Körpers ein beständiges Glühen. Sie lächelte leise, als sie durch ihren Mann hindurchging wie durch einen Geist, schüttelte Tom die Hand und sah ihm dabei direkt in die Augen. Dann befeuchtete sie ihre Lippen, und ohne sich umzudrehen, sagte sie mit leiser, rauchiger Stimme zu ihrem Mann:

»Hol ein paar Stühle, sei so gut, damit man sich setzen kann.«

»Oh, natürlich«, antwortete Wilson eilig, ging in das kleine Büro und verschmolz augenblicklich mit der Zementfarbe der Wände. Ein weißer, aschfahler Staub bedeckte seinen dunklen Anzug und sein bleiches Haar, so wie er alles in der Umgebung bedeckte – ausgenommen Wilsons Frau, die sich nun dicht an Tom heranschob.

»Ich möchte dich sehen«, sagte Tom eindringlich. »Nimm den nächsten Zug.«

»Ist gut.«

»Wir treffen uns am Zeitungsstand, unten am Bahnsteig.«

Sie nickte und entfernte sich wieder von ihm, gerade als Wilson mit zwei Stühlen aus seinem Büro trat.

Wir warteten auf sie außer Sichtweite, ein Stück die Straße hinunter. Es waren nur noch wenige Tage bis zum Vierten Juli, und ein graues, knochiges Italienerkind legte Knallerbsen in einer Reihe auf die Eisenbahnschienen.

»Grässliche Gegend ist das«, sagte Tom und wechselte einen finsteren Blick mit Doktor Eckleburg.

»Zum Fürchten.«

»Es tut ihr gut, hier mal rauszukommen.«

»Hat ihr Mann nichts dagegen?«

»Wilson? Der glaubt, sie besucht ihre Schwester in New York. Der ist so dämlich, der merkt ja nicht mal, dass er lebt.«

Und so machten Tom Buchanan und sein Mädchen und ich uns gemeinsam auf den Weg nach New York – wenn auch nicht eigentlich gemeinsam, denn Mrs Wilson saß diskret in einem anderen Wagen. So viel Rücksicht nahm Tom dann doch auf die Empfindlichkeiten der East Egger, die vielleicht mit im Zug waren.

Mrs Wilson hatte sich umgezogen und trug jetzt ein gemustertes braunes Musselinkleid, das sich über ihre recht breiten Hüften spannte, als Tom ihr in New York auf den Bahnsteig half. Am Zeitungsstand kaufte sie eine Ausgabe des *Town Tattle* und ein Filmmagazin, im Drugstore etwas Hautcreme und eine kleine Flasche Parfüm. Oben an der pomphaften, hallenden Zufahrt ließ sie vier Taxis davonfahren, ehe sie sich für einen neuen, lavendelfarbenen Wagen mit grauen Polstern entschied, und in diesem glitten wir schließlich aus dem Bahnhofsgetümmel hinaus in den strahlenden Sonnenschein. Doch schon im nächsten Moment wandte sie sich jäh vom Fenster ab, lehnte sich nach vorn und klopfte an die Trennscheibe.

»Ich möchte einen von den Hunden dort haben«, sagte sie feierlich. »Ich möchte einen für die Wohnung. Es ist schön, einen zu haben – einen Hund.«

Wir setzten zurück und hielten bei einem grauen alten Mann, der eine absurde Ähnlichkeit mit John D. Rockefeller hatte. In einem Korb, der um seinen Hals hing, kauerte ein Dutzend erst kürzlich geborener Welpen unbestimmter Rasse.

»Was sind das für welche?«, fragte Mrs Wilson eifrig, als der Mann ans Taxifenster trat.

»Alle möglichen. Was für einen möchte die Dame denn?«

»Ich hätte gern einen dieser Schäferhunde; Sie haben wohl nicht zufällig einen von der Sorte?«

Der Mann spähte skeptisch in den Korb, tauchte seine Hand hinein und zog am Nackenfell einen zappelnden Welpen hervor.

»Das ist kein Schäferhund«, sagte Tom.

»Nein, ein echter *Schäferhund* ist er nicht«, sagte der Mann und klang etwas enttäuscht. »Schon eher ein Airedale.« Er strich mit der Hand über den flauschigen braunen Rücken. »Sehen Sie sich dieses Fell an. Ein herrliches Fell. Bei dem brauchen Sie jedenfalls keine Sorge zu haben, dass er sich erkältet.«

»Also, ich finde ihn süß«, sagte Mrs Wilson verzückt. »Was kostet er?«

»Der hier?« Er musterte ihn bewundernd. »Der hier kostet Sie zehn Dollar.«

Der Airedale – irgendwo hatte bei ihm zweifellos ein Airedale mitgemischt, auch wenn die Pfoten überraschend weiß waren – wechselte den Besitzer und machte es sich in Mrs Wilsons Schoß bequem, während sie hingerissen sein wetterfestes Fell streichelte.

»Ist es ein Junge oder ein Mädchen?«, fragte sie sanft.

»Der da? Der ist ein Junge.«

»Das ist eine Hündin«, sagte Tom entschieden. »Hier ist Ihr Geld. Kaufen Sie sich davon die nächsten zehn Hunde.«

Wir fuhren hinüber zur Fifth Avenue, die an diesem sommerlichen Sonntagnachmittag warm und mild war, beinahe ländlich. Es hätte mich nicht überrascht, hinter der nächsten Ecke eine große Herde weißer Schafe zu sehen.

»Haltet mal an«, sagte ich, »ich sollte hier aussteigen.«

»Nein, solltest du nicht«, wehrte Tom eilig ab. »Myrtle wäre gekränkt, wenn du nicht noch mit ins Apartment hinaufkämst. Stimmt's, Myrtle?«

»Kommen Sie schon«, drängte sie. »Ich werde meine Schwester Catherine anrufen. Sie ist wunderschön – sagen Leute, die es wissen müssen.«

»Tja, wirklich gern, aber …«

Wir fuhren weiter, glitten wieder hinüber auf die andere Seite des Parks und in Richtung Hunderterstraßen der Westside. In der 158. hielt das Taxi vor einem schmalen Stück eines langen weißen Apartmenthaus-Kuchens. Mit dem Blick einer heimkehrenden Majestät schaute Mrs Wilson sich um, griff nach ihrem Hund und ihren übrigen Einkäufen und stolzierte hinein.

»Ich werde die McKees heraufbitten«, verkündete sie, als wir im Fahrstuhl nach oben fuhren. »Und natürlich meine Schwester anrufen.«

Das Apartment befand sich im obersten Stock – ein kleines Wohnzimmer, ein kleines Esszimmer, ein kleines Schlafzimmer und ein Bad. Das Wohnzimmer war bis an die Türen mit einer Garnitur gobelinverzierter, viel zu großer Polstermöbel vollgestellt, und man konnte sich kaum bewegen, ohne über Szenen mit in den Gärten von Versailles schaukelnden Damen zu stolpern. Das einzige Bild war eine zu stark vergrößerte Fotografie, dem Anschein nach eine Henne auf einem verschwommenen Felsen. Betrachtete man es jedoch aus einiger Entfernung, verwandelte sich die Henne in einen Hut und das Antlitz einer füllligen alten Dame strahlte ins Zimmer herab. Auf einem Tisch lagen mehrere ältere Ausgaben des *Town Tattle* neben einem Exemplar von *Simon Called Peter* und einigen Broadway-Skandalblättchen. Mrs Wilson kümmerte sich zunächst um den Hund. Ein wenig diensteifriger Liftboy besorgte eine Kiste voll Stroh und etwas Milch und zusätzlich aus eigenem Antrieb eine Dose mit großen, harten Hundekuchen – von denen einer den ganzen Nachmittag über in der Untertasse mit Milch lag und sich apathisch in seine Bestandteile auflöste. Tom holte inzwischen aus einer verschlossenen Kommode eine Flasche Whiskey hervor.

Ich bin nur zweimal in meinem Leben betrunken gewesen, und an jenem Nachmittag war das zweite Mal; daher liegt ein trüber, dunstiger Schleier über allem, was geschah, obwohl das Apartment noch bis nach acht von freundlichem Sonnenlicht erfüllt war. Mrs Wilson saß auf Toms Schoß und rief mehrere Leute an; irgendwann hatten wir keine Zigaretten mehr, und ich ging los, um im Drugstore an der Ecke welche zu kaufen. Als ich zurückkam, waren die beiden verschwunden, also setzte ich mich diskret ins Wohnzimmer und las ein Kapitel von *Simon Called Peter* – entweder war es fürchterlich schlecht oder der Whiskey verzerrte die Dinge, denn es ergab nicht den leisesten Sinn für mich.

Kaum waren Tom und Myrtle (nach dem ersten Drink nannten Mrs Wilson und ich uns beim Vornamen) wieder aufgetaucht, als nach und nach schon die Gäste vor der Apartmenttür standen.

Die Schwester, Catherine, war eine schlanke, weltzugewandte Frau um die dreißig mit einem dichten, steifen Schopf roter Haare und einem milchweiß gepuderten Teint. Ihre Augenbrauen waren gezupft und anschließend in etwas kühnerem Winkel nachgezogen worden, doch das Bestreben der Natur, die alte Linienführung wiederherzustellen, gab ihrem Gesicht einen verschwommenen Ausdruck. Wenn sie sich bewegte, war ein stetes Klirren zu hören von unzähligen Emailreifen, die an ihren Armen auf und ab klimperten. Sie rauschte mit derartiger Selbstverständlichkeit herein und blickte mit solcher Besitzermiene auf das Mobiliar, dass ich mich fragte, ob sie hier wohne. Doch als ich sie darauf ansprach, lachte sie unmäßig, wiederholte laut meine Frage und erklärte mir, sie wohne mit einer Freundin in einem Hotel.

Mr McKee war ein blasser, femininer Mann aus der Wohnung ein Stockwerk tiefer. Er hatte sich wohl frisch rasiert, denn auf seiner Wange saß noch ein weißer Schaumfleck, und er begrüßte jeden im Raum höchst ehrerbietig. Er teilte mir mit, er sei in der »Kunstbranche«, und später erfuhr ich, dass er Fotograf war und das unscharf vergrößerte Bild von Mrs Wilsons Mutter gemacht hatte, das wie ein Ektoplasma an der Wand hing. Seine Frau war schrill, träge, hübsch und nicht auszuhalten. Stolz erzählte sie mir, ihr Mann habe sie seit ihrer Hochzeit einhundertsiebenundzwanzigmal fotografiert.

Mrs Wilson hatte sich bereits einige Zeit zuvor umgezogen und trug jetzt ein aufwändiges Nachmittagskleid aus cremefarbenem Chiffon, das ein beständiges Rascheln von sich gab, während sie durch den Raum glitt. Unter dem Einfluss des

Kleides hatte sich ihre Ausstrahlung verändert. Die kraftvolle Vitalität, die in der Werkstatt so auffallend gewesen war, verwandelte sich in imposanten Hochmut. Ihr Lachen, ihre Gesten, ihre Bemerkungen gerieten ihr jeden Moment noch affektierter, und während sie sich aufplusterte, wurde der Raum um sie her immer kleiner, bis sie sich auf einem lärmenden, quietschenden Angelpunkt durch die rauchige Luft zu drehen schien.

»Meine Liebe«, rief sie ihrer Schwester in hoher, gezierter Tonlage zu, »die meisten dieser Leute betrügen dich, wo sie können. Die denken doch nur ans Geld. Letzte Woche hatte ich eine Frau hier wegen meiner Füße, und als sie mir die Rechnung gab, hätte man denken können, sie hätte mir den Blinddarm rausgenommen.«

»Wie hieß diese Frau noch gleich?«, fragte Mrs McKee.

»Mrs Eberhardt. Sie kommt zur Fußpflege zu den Leuten nach Hause.«

»Ich mag Ihr Kleid«, bemerkte Mrs McKee, »ich finde es hinreißend.«

Mrs Wilson verschmähte das Kompliment, indem sie verächtlich eine Augenbraue hochzog.

»Das ist bloß ein komischer alter Fetzen«, sagte sie. »Ab und zu zieh ich ihn über, wenn's mir egal ist, wie ich aussehe.«

»Aber Sie sehen fabelhaft darin aus, Sie wissen schon, was ich meine«, fuhr Mrs McKee fort. »Wenn Chester Sie in dieser Pose vors Objektiv bekäme, könnte er ganz sicher was draus machen.«

Wir alle schauten schweigend auf Mrs Wilson, die sich eine Haarsträhne aus den Augen strich und unsere Blicke mit einem strahlenden Lächeln erwiderte. Mr McKee betrachtete sie eingehend mit schief gelegtem Kopf und bewegte dann langsam eine Hand vor seinem Gesicht hin und her.

»Ich müsste das Licht ändern«, sagte er nach einer Weile. »Ich würde gern die Form der Gesichtszüge herausarbeiten. Und ich würde versuchen, das ganze hintere Haar zu erwischen.«

»Auf keinen Fall würde ich das Licht ändern!«, rief Mrs McKee. »Ich finde es —«

Ihr Mann machte »Sch!« und wir alle blickten wieder auf das Motiv, woraufhin Tom Buchanan geräuschvoll gähnte und aufstand.

»Ihr McKees werdet jetzt erst mal was trinken«, sagte er. »Besorg mehr Eis und Mineralwasser, Myrtle, bevor hier noch alle einschlafen.«

»Ich hatte schon diesem Boy gesagt, er soll Eis holen.« Myrtle runzelte verzweifelt über die Nachlässigkeit der niederen Ränge die Stirn. »Diese Leute! Ständig muss man hinter ihnen her sein.«

Sie schaute mich an und lachte sinnlos. Dann stürzte sie sich auf den Hund, küsste ihn ekstatisch und rauschte in die Küche, als wartete dort ein Dutzend Köche auf ihre Anweisungen.

»Draußen auf Long Island hab ich einige schöne Sachen gemacht«, erklärte Mr McKee.

Tom sah ihn ausdruckslos an.

»Zwei davon haben wir gerahmt unten hängen.«

»Zwei was?«, wollte Tom wissen.

»Zwei Studien. Die eine nenne ich ›Montauk Point – Die Möwen‹ und die andere ›Montauk Point – Das Meer‹.«

Die Schwester, Catherine, setzte sich neben mich auf die Couch.

»Wohnen Sie auch drüben auf Long Island?«, fragte sie.

»Ich wohne in West Egg.«

»Wirklich? Vor ungefähr einem Monat war ich dort auf einer Party. Bei einem Mann namens Gatsby. Kennen Sie ihn?«

»Ich wohne direkt nebenan.«

»Also, es heißt, er wär ein Neffe oder Cousin von Kaiser Wilhelm. Da soll er auch sein ganzes Geld herhaben.«

»Tatsächlich?«

Sie nickte.

»Ich hab Angst vor ihm. Ich will ihm um keinen Preis in die Quere kommen.«

Diese fesselnden Mitteilungen über meinen Nachbarn wurden von Mrs McKee unterbrochen, die plötzlich auf Catherine zeigte:

»Chester, aus *ihr* könntest du doch bestimmt was machen«, hob sie an, aber Mr McKee nickte nur gelangweilt und wandte sich wieder Tom zu.

»Ich würde gern öfter auf Long Island arbeiten, wenn mich nur irgendwer bei den Leuten dort einführen würde. Einen guten Einstieg, mehr brauche ich gar nicht.«

»Fragen Sie Myrtle«, sagte Tom und lachte laut auf, als Mrs Wilson mit einem Tablett hereinkam. »Sie schreibt Ihnen sicher eine Empfehlung, stimmt's, Myrtle?«

»Was tue ich?«, fragte sie entgeistert.

»Du schreibst Mr McKee eine Empfehlung für deinen Mann, damit er ein paar Studien von ihm machen kann.« Seine Lippen bewegten sich tonlos, während er überlegte. »›George B. Wilson an der Zapfsäule‹ oder etwas in der Art.«

Catherine beugte sich zu mir herüber und flüsterte mir ins Ohr: »Die beiden können ihre Ehegatten nicht ausstehen.«

»Nicht?«

»Nicht *ausstehen*.« Sie schaute auf Myrtle, dann auf Tom. »Was ich sagen will, ist, warum mit jemandem zusammenleben, den man nicht ausstehen kann? Wenn ich sie wäre, ich würde mich scheiden lassen und auf der Stelle heiraten.«

»Kann sie Wilson denn auch nicht leiden?«

Die Antwort darauf war unerwartet. Sie kam von Myrtle, die die Frage gehört hatte, und sie war ungestüm und schamlos.

»Da sehen Sie's!«, rief Catherine triumphierend. Dann senkte sie ihre Stimme wieder. »Eigentlich ist es seine Frau, die ihnen im Weg steht. Sie ist Katholikin, und die halten nichts von Scheidung.«

Daisy war nicht katholisch, und ich war ein wenig entsetzt über die Raffinesse dieser Lüge.

»Und wenn sie irgendwann doch heiraten«, fuhr Catherine fort, »gehen sie für eine Zeit lang in den Westen, bis der Sturm sich gelegt hat.«

»Klüger wär's, nach Europa zu gehen.«

»Oh, Sie mögen Europa?«, rief sie unvermittelt. »Ich war gerade erst in Monte Carlo.«

»Tatsächlich.«

»Erst letztes Jahr. Ich war mit einer Freundin drüben.«

»Für länger?«

»Nein, wir fuhren nach Monte Carlo und wieder zurück. Über Marseille. Bei unserer Ankunft hatten wir zwölfhundert Dollar, aber die haben sie uns an den Spieltischen in nur zwei Tagen abgeknöpft. Die Rückfahrt war fürchterlich, sage ich Ihnen. Gott, wie ich diese Stadt gehasst habe!«

Der Spätnachmittagshimmel erstrahlte hinter dem Fenster einen Augenblick lang im honigsüßen Blau des Mittelmeers –

dann rief Mrs McKees schrille Stimme mich wieder ins Zimmer zurück.

»Mir wäre auch beinahe mal ein Malheur passiert«, erklärte sie lebhaft. »Ich hätte beinah irgend so ein Jüdchen geheiratet, das jahrelang hinter mir her war. Ich wusste, er stand unter mir. Alle sagten mir immer wieder: ›Lucille, dieser Mann steht weit unter dir!‹ Aber wenn ich Chester nicht begegnet wäre, hätte er mich gekriegt, ganz sicher.«

»Ja, aber wissen Sie«, sagte Myrtle Wilson und nickte dazu mit dem Kopf, »wenigstens haben Sie ihn nicht geheiratet.«

»Hab ich nicht, nein.«

»Tja, ich hab ihn geheiratet«, sagte Myrtle zweideutig. »Und das ist der Unterschied zwischen ihrem Fall und meinem.«

»Warum eigentlich, Myrtle?«, wollte Catherine wissen. »Kein Mensch hat dich gezwungen.«

Myrtle überlegte.

»Ich habe ihn geheiratet, weil ich dachte, er wäre ein Gentleman«, sagte sie schließlich. »Ich dachte, er wüsste, wie man sich benimmt, dabei war er es nicht mal wert, meine Stiefel zu lecken.«

»Eine Zeit lang warst du verrückt nach ihm«, sagte Catherine.

»Verrückt nach ihm!«, rief Myrtle ungläubig. »Wer sagt, dass ich verrückt nach ihm war? Ich war genauso wenig verrückt nach ihm wie nach diesem Mann da.«

Sie zeigte plötzlich auf mich, und alle sahen mich vorwurfsvoll an. Mit meinem Gesichtsausdruck versuchte ich klarzustellen, dass ich derlei Zuneigung auch nicht erwartete.

»*Verrückt* war ich nur, als ich ihn heiratete. Ich hab gleich gemerkt, dass es ein Fehler war. Für die Hochzeit hatte er sich bei irgendwem einen Anzug geborgt und mir dann noch nicht mal davon erzählt, und eines Tages, er war nicht da, kam dieser andere und wollte ihn wiederhaben. ›Oh, das ist Ihr Anzug?‹, sagte ich. ›Das höre ich nun wirklich zum ersten Mal.‹ Aber ich gab ihn ihm, und dann legte ich mich hin und heulte mir den ganzen Nachmittag die Augen aus.«

»Sie sollte wirklich zusehen, dass sie von ihm wegkommt«, nahm Catherine an mich gewandt das Gespräch wieder auf. »Seit elf Jahren leben sie jetzt über dieser Werkstatt. Und Tom ist der erste Liebhaber, den sie je hatte.«

Die Flasche Whiskey – eine zweite – fand nun regen Zuspruch bei allen Anwesenden, mit Ausnahme von Catherine, die sich »ohne ebenso wohl fühlte«. Tom läutete nach dem Portier und ließ ihn ein paar hochgelobte Sandwichs bringen, die allein ein vollwertiges Abendessen darstellten. Ich wollte hinaus und ostwärts in Richtung Park durch die sanfte Dämmerung spazieren, doch jedes Mal wenn ich zu gehen versuchte, wurde ich in irgendeine wilde, hitzige Debatte verwickelt, die mich wie mit Stricken auf meinen Stuhl zurückzog. Dennoch, hoch über der Stadt musste unsere Reihe gelber Fenster für den zufälligen Betrachter in den allmählich dunkel werdenden Straßen etwas beitragen zum Geheimnis menschlicher Verborgenheit, und der war ich auch, schaute hinauf und wunderte mich. Ich war drinnen und draußen, zugleich verzaubert und abgestoßen von der unerschöpflichen Vielfalt des Lebens.

Myrtle zog ihren Stuhl dicht an meinen heran, und unversehens verströmte ihr warmer Atem über mir die Geschichte ihrer ersten Begegnung mit Tom.

»Wir saßen auf diesen schmalen Sitzen, die einander gegenüberliegen und immer als letzte im Zug noch frei sind. Ich war auf dem Weg nach New York, um meine Schwester zu besuchen und dort zu übernachten. Er trug einen feinen Anzug und Lackschuhe, und ich konnte meinen Blick nicht von ihm lassen, aber jedes Mal wenn er mich ansah, musste ich so tun, als schaute ich mir die Reklame über seinem Kopf an. Als wir im Bahnhof einfuhren, stand er neben mir, seine weiße Hemdbrust an meinen Arm gepresst, also sagte ich ihm, dass ich wohl die Polizei rufen müsse, aber er wusste, ich log. Als ich mich mit ihm ins Taxi setzte, war ich noch immer so aufgeregt, ich begriff kaum, dass ich nicht in die U-Bahn stieg. Alles, woran ich dachte, immer und immer wieder, war: ›Du lebst nicht ewig; du lebst nicht ewig.‹«

Sie wandte sich an Mrs McKee, und der Raum tönte voll vom Klang ihres gekünstelten Lachens.

»Meine Liebe«, rief sie, »ich schenke Ihnen das Kleid, sobald ich es überhabe. Gleich morgen muss ich mir ein neues besorgen. Ich werde mir eine Liste machen mit all den Dingen, die ich besorgen muss. Eine Massage und eine Dauerwelle, und ein Halsband für den Hund und einen dieser netten kleinen Aschenbecher mit Sprungfeder, und einen Kranz mit schwarzer Seidenschleife für Mutters Grab, der den ganzen Sommer lang hält. Ich muss mir die Liste aufschreiben, damit ich nicht alles vergesse, was ich zu tun habe.«

Es war neun Uhr – nur einen Augenblick später schaute ich auf meine Uhr und sah, es war zehn. Mr McKee war mit geballten Fäusten im Schoß auf einem Stuhl eingeschlafen, wie die Fotografie eines Mannes der Tat. Ich holte mein Taschentuch hervor und wischte ihm den getrockneten Schaumfleck von der Wange, der mich den ganzen Nachmittag über gestört hatte.

Der kleine Hund saß auf dem Tisch, spähte mit blinden Augen durch den Rauch und knurrte von Zeit zu Zeit leise. Leute verschwanden, tauchten wieder auf, machten Pläne, irgendwo hinzugehen, verloren sich aus den Augen, suchten einander, fanden sich ein paar Schritte entfernt wieder. Irgendwann gegen Mitternacht standen Tom Buchanan und Mrs Wilson sich direkt gegenüber und stritten mit sich überschlagenden Stimmen darum, ob Mrs Wilson Daisys Namen in den Mund nehmen durfte.

»Daisy! Daisy! Daisy!«, schrie Mrs Wilson. »Ich sag es, sooft ich will! Daisy! Dai–«

Mit einer kurzen geschickten Bewegung seiner flachen Hand brach Tom Buchanan ihr die Nase.

Dann lagen blutige Handtücher auf dem Boden des Badezimmers, zeternde Frauenstimmen waren zu hören und hoch über dem Durcheinander ein langes, gebrochenes Schmerzgeheul. Mr McKee erwachte aus seinem Schlummer und machte sich schlaftrunken auf den Weg zur Tür. Auf halber Strecke drehte er sich um und starrte auf die Szene – auf seine Frau und Catherine, die schimpfend und tröstend mit Hilfsartikeln zwischen den dicht gedrängten Möbelstücken hin und her stolperten, und auf die verzweifelte Gestalt auf der Couch, die in Strömen blutete und versuchte, eine Nummer des *Town Tattle* über die Gobelinszenen von Versailles zu breiten. Dann drehte Mr McKee sich wieder um und ging durch die Tür hinaus. Ich nahm meinen Hut vom Kronleuchter und folgte ihm.

»Kommen Sie mal zum Mittagessen«, schlug er vor, als wir im Fahrstuhl hinabächzten.

»Wohin?«

»Irgendwohin.«

»Nehmen Sie die Hände vom Hebel«, blaffte der Liftboy.

»Ich bitte um Verzeihung«, sagte Mr McKee würdevoll, »ich habe nicht gemerkt, dass ich ihn berührt habe.«

»Einverstanden«, sagte ich, »sehr gern.«

… Ich stand neben seinem Bett, und er saß aufrecht mitten zwischen den Laken, in Unterwäsche, mit einer großen Fotomappe in Händen.

»Die Schöne und das Biest … Einsamkeit … Altes Krämerpferd … Brook'n Bridge …«

Dann lag ich halb schlafend auf dem kalten unteren Bahnsteig der Pennsylvania Station, starrte auf die Morgenausgabe der *Tribune* und wartete auf den Vieruhrzug.

Kapitel 3

Die Sommernächte hindurch drang Musik aus dem Haus meines Nachbarn. In seinen blauen Gärten schwirrten Männer und Mädchen wie Motten umher zwischen Geflüster, Champagner und Sternen. Nachmittags bei Flut sah ich zu, wie seine Gäste vom Sprungturm auf seinem Steg sprangen oder auf dem heißen Sand seines Strands in der Sonne lagen, während seine beiden Motorboote die Flächen des Sunds zerfurchten und Wasserskifahrer über Kaskaden von Schaum zogen. An den Wochenenden wurde sein Rolls-Royce zum Pendelbus, der von neun Uhr morgens bis weit nach Mitternacht Leute in die Stadt beförderte und von dort abholte, während sein Kombiwagen wie ein munterer gelber Käfer hin und her hetzte, um alle Züge zu erreichen. Und montags machten sich acht Angestellte, inklusive eines Extra-Gärtners, mit Mopps und Scheuerbürsten und Hämmern und Gartenscheren daran, die Verwüstungen der letzten Nacht zu beseitigen.

Jeden Freitag trafen fünf Kisten mit Orangen und Zitronen ein von einem Obsthändler in New York – jeden Montag wanderten ebendieselben Orangen und Zitronen in einer Pyramide aus fleischlosen Hälften zur Hintertür wieder hinaus. In der

Küche gab es eine Maschine, die in einer halben Stunde zweihundert Orangen entsaften konnte, sofern ein Butlerdaumen zweihundertmal auf einen kleinen Knopf drückte.

Mindestens einmal alle zwei Wochen rückte ein Trupp von Lieferanten mit mehreren Hundert Fuß Segeltuch an und genug bunten Lichtern, um Gatsbys riesigen Garten in einen Weihnachtsbaum zu verwandeln. Auf den mit glitzernden Hors-d'œuvre garnierten Buffettischen drängten sich würzige Backschinken an farbenfroh arrangierte Salate, Schweine im Blätterteig und tiefgold gezauberte Puter. Im großen Saal wurde eine Bar mit echtem Messinggeländer aufgebaut und mit Gins und Weinbränden sowie mit schon so lange in der Versenkung verschwundenen Likören bestückt, dass die meisten der weiblichen Gäste zu jung waren, um einen vom andern zu unterscheiden.

Gegen sieben Uhr trifft das Orchester ein, kein mickriges Fünferensemble, sondern ein ganzes Podium voll mit Oboen und Posaunen, Saxofonen und Bratschen, Kornetten und Piccoloflöten, hohen und tiefen Trommeln. Die letzten Schwimmer sind inzwischen vom Strand zurück und werfen sich im oberen Stockwerk in Schale; die Wagen aus New York stehen in Fünferreihen in der Auffahrt, und die Säle und Salons und Veranden strahlen bereits in grellbunten Farben, von seltsamen neumodischen Bubiköpfen und Schals, von denen Kastilien nicht zu träumen wagt. An der Bar herrscht dichtes Gedränge, und draußen sickern die Cocktailrunden in die hintersten Winkel des Gartens, bis die Luft flirrt von Plaudern und Lachen und zwanglosen Anzüglichkeiten, kurzen, im selben Moment schon vergessenen Begegnungen und überschwänglichen Begrüßungen zwischen Frauen, die einander nicht beim Namen kannten.

Die Lichter werden heller, während die Erde sich taumelnd von der Sonne abwendet; das Orchester spielt nun süßliche Cocktailmusik, und die Oper der Stimmen schlägt eine höhere Tonlage an. Das Gelächter klingt leichter im Minutentakt, wird in Strömen vergossen, ausgeschüttet über ein launiges Wort. Die Gruppen verändern sich rascher, schwellen mit Neuankömmlingen an, lösen sich auf und bilden sich neu im selben Atemzug; schon gehen manche auf Wanderschaft, selbstsichere Mädchen, die sich mal hier, mal dort zwischen die Stetigeren und Standfesteren weben, einen kurzen, genussreichen Augenblick lang der Mittelpunkt einer Gruppe sind und dann, beschwingt vom Triumph, im ständig wechselnden Licht durch das schillernde Meer aus Gesichtern und Stimmen und Farben davongleiten.

Plötzlich greift eine dieser Zigeunerinnen, in flirrendem Opal, einen Cocktail aus der Luft, stürzt ihn hinunter, um sich Mut anzutrinken, und tanzt, indem sie die Hände wie Joe Frisco bewegt, allein auf die mit Segeltuch ausgekleidete Bühne hinaus. Kurz herrscht Stille; der Orchesterleiter ändert bereitwillig seinen Rhythmus für sie, und Geschnatter bricht aus, als die irrige Nachricht umgeht, sie sei Gilda Grays zweite Besetzung in den Follies. Die Party hat begonnen.

Ich glaube, an meinem ersten Abend bei Gatsby gehörte ich zu den wenigen Gästen, die tatsächlich eingeladen waren. Die Leute wurden nicht eingeladen – sie gingen hin. Sie stiegen in Automobile, die sie hinaus nach Long Island brachten, und irgendwie landeten sie vor Gatsbys Tür. Einmal dort, wurden sie von irgendwem, der Gatsby kannte, vorgestellt, und danach benahmen sie sich gemäß den Verhaltensregeln, die in einem Vergnügungspark gelten. Manchmal kamen und gingen sie, ohne Gatsby überhaupt begegnet zu sein, kamen zur Party mit einer Einfalt des Herzens, die eine eigene Eintrittskarte war.

Ich war tatsächlich eingeladen. Ein Chauffeur in einer Uniform so blau wie das Ei einer Wanderdrossel war an jenem Samstag frühmorgens über meinen Rasen geschritten mit einer überraschend förmlichen Nachricht seines Dienstherrn: Die Ehre wäre ganz auf Gatsbys Seite, stand da, erschiene ich am Abend zu seiner »kleinen Party«. Er habe mich bereits einige Male gesehen und mir längst einen Besuch abstatten wollen, doch eine sonderbare Verquickung von Umständen habe dies verhindert – gezeichnet Jay Gatsby, in schwungvoller Handschrift.

Angetan mit einem weißen Flanellanzug ging ich um kurz nach sieben in seinen Garten hinüber und wanderte einigermaßen befangen zwischen Wirbeln und Strudeln mir unbekannter Leute umher – auch wenn ich hier und da ein Gesicht entdeckte, das ich im Vorortzug schon einmal gesehen hatte. Mir fielen sofort die zahlreichen, überall verstreuten jungen Engländer auf; alle gut gekleidet, alle ein wenig hungrig aussehend und alle mit leiser, ernster Stimme im Gespräch mit gediegenen und wohlhabenden Amerikanern. Ich war mir sicher, dass sie irgendetwas verkauften: Aktien oder Versicherungen oder Automobile. Zumindest waren sie sich des leicht verdienten Geldes um sie herum schmerzlich bewusst und davon überzeugt, es bedürfe nur weniger Worte im rechten Tonfall und es gehöre ihnen.

Gleich nach meiner Ankunft unternahm ich den Versuch, meinen Gastgeber zu finden, doch die zwei oder drei Leute, bei denen ich mich nach ihm erkundigte, starrten mich derart entgeistert an und bestritten so vehement, auch nur das Geringste über seinen Verbleib zu wissen, dass ich mich in Richtung des Cocktailtisches trollte – der einzige Ort im Garten, wo ein einzelner Mann sich aufhalten konnte, ohne allein und verloren zu wirken.

Ich war gerade dabei, mich aus schierer Verlegenheit gründlich volllaufen zu lassen, als Jordan Baker aus dem Haus trat und am Kopf der marmornen Treppe stehen blieb, sich ein wenig zurücklehnte und herablassend interessiert in den Garten blickte.

Erwünscht oder nicht, ich musste mich dringend jemandem anschließen, bevor ich noch anfing, jedem Vorbeikommenden offenherzige Mitteilungen zu machen.

»Hallo!«, brüllte ich und ging auf sie zu. Meine Stimme schien mir unnatürlich laut durch den Garten zu schallen.

»Ich dachte mir schon, dass Sie vielleicht hier sind«, antwortete sie geistesabwesend, als ich die Stufen hinaufstieg. »Ich weiß noch, Sie wohnen direkt neben …«

Sie hielt beiläufig meine Hand, als Versprechen, dass sie sich in einer Minute um mich kümmern werde, und schenkte zwei Mädchen in zwillingshaft gelben Kleidern Gehör, die am Fuß der Treppe stehen blieben.

»Hallo!«, riefen sie im Chor. »Schade, dass Sie nicht gewonnen haben.«

Das galt dem Golfturnier. Sie hatte in der Woche zuvor die Finalrunde verloren.

»Sie wissen nicht, wer wir sind«, sagte eines der Mädchen in Gelb, »aber wir haben Sie hier vor ungefähr einem Monat schon einmal getroffen.«

»Sie haben sich inzwischen Ihr Haar gefärbt«, bemerkte Jordan; ich zuckte zusammen, doch die Mädchen waren schon gleichgültig weitergezogen, und die Bemerkung richtete sich an den vorzeitig aufgegangenen Mond, den man wie die Speisen zweifellos aus einem der Lieferantenkörbe hervorgeholt hatte. Jordan schob ihren schlanken goldenen Arm unter meinen, und wir stiegen die Stufen hinab und schlenderten durch den Garten. Ein Tablett mit Cocktails schwebte im Dämmerlicht auf uns zu, und wir setzten uns an einen Tisch zu den beiden Mädchen in Gelb und drei Männern, die uns allesamt als Mr Mumble vorgestellt wurden.

»Sind Sie oft auf diesen Partys?«, fragte Jordan das Mädchen neben ihr.

»Das letzte Mal war ich hier, als ich Sie getroffen habe«, antwortete das Mädchen mit munterer, fester Stimme. Sie wandte sich an ihre Begleiterin: »Du nicht auch, Lucille?«

Richtig, Lucille auch.

»Ich komme gern her«, sagte Lucille. »Mich kümmert ohnehin nicht, was ich mache, deshalb amüsiere ich mich immer prächtig. Beim letzten Mal hab ich mir an einem Stuhl mein Kleid eingerissen, und er hat mich nach meinem Namen und meiner Adresse gefragt – innerhalb einer Woche bekam ich ein Paket von Croirier mit einem neuen Abendkleid darin.«

»Haben Sie's behalten?«, fragte Jordan.

»Natürlich. Ich wollte es heute Abend tragen, aber es ist oben herum zu weit und ich muss es erst ändern lassen. Es ist blau wie Gas mit lavendelfarbenen Perlen. Zweihundertfünfundsechzig Dollar.«

»Irgendwie ein seltsamer Kerl, der so etwas macht«, sagte das andere Mädchen lebhaft. »Er will um keinen Preis mit *irgendwem* Ärger haben.«

»Wer?«, fragte ich.

»Gatsby. Man hat mir erzählt …«

Die beiden Mädchen und Jordan steckten vertraulich die Köpfe zusammen.

»Man hat mir erzählt, er soll mal jemanden umgebracht haben.«

Ein Schauder durchfuhr uns alle. Die drei Mr Mumbles beugten sich vor und lauschten begierig.

»*Das* glaube ich nicht so recht«, warf Lucille skeptisch ein. »Da glaube ich schon eher, dass er während des Krieges ein deutscher Spion war.«

Einer der Männer nickte bestätigend.

»Genau das hat mir jemand erzählt, der alles über ihn wusste, der mit ihm in Deutschland aufgewachsen ist«, versicherte er uns nachdrücklich.

»O nein«, sagte das erste Mädchen, »das kann nicht stimmen, denn während des Krieges war er ja beim amerikanischen Militär.« Als wir uns bereitwillig aufs Neue ihrer Version zuwandten, beugte sie sich aufgeregt vor. »Sie müssen ihn nur mal anschauen, wenn er sich unbeobachtet glaubt. Ich wette, er hat jemanden umgebracht.«

Sie verengte die Augen und zitterte. Lucille zitterte. Wir alle drehten uns um und hielten Ausschau nach Gatsby. Es zeugte von dem romantischen Rätselraten, das er auslöste, dass auch diejenigen über ihn tuschelten, die sonst in der Welt selten Grund zum Tuscheln fanden.

Das erste Mahl wurde aufgetragen – nach Mitternacht würde es noch ein weiteres geben –, und Jordan lud mich ein, mich mit ihr dem Kreis ihrer Bekannten anzuschließen, der sich um einen Tisch auf der anderen Seite des Gartens gruppiert hatte. Es waren drei verheiratete Paare sowie Jordans Begleiter, ein beharrlicher junger Student, der zu derber Anzüglichkeit neigte und offenbar in dem Glauben lebte, über kurz oder lang werde Jordan sich ihm in größerem oder geringerem Maße hingeben. Statt umherzustreifen, hatte diese Gesellschaft eine würdevolle Geschlossenheit bewahrt und sich selbst zu Repräsentanten des gediegenen Landadels erkoren – East Egg ließ sich zu West Egg herab und war sorgsam auf der Hut vor dessen spektroskopischer Fröhlichkeit.

»Lassen Sie uns verschwinden«, flüsterte Jordan nach einer irgendwie vergeudeten und unerfreulichen halben Stunde. »Hier geht's mir viel zu gesittet zu.«

Wir standen auf, und sie erklärte, wir würden uns auf die Suche nach dem Gastgeber machen: Ich sei ihm noch nie begegnet, sagte sie, und so langsam sei mir das unangenehm. Der junge Student nickte auf eine zynische, melancholische Art.

An der Bar, bei der wir zuerst nachschauten, herrschte Gedränge, doch Gatsby war nicht dort. Jordan konnte ihn vom Kopf der Treppe aus nicht entdecken, und auch auf der Veranda war er nicht. Auf gut Glück öffneten wir eine repräsentative Tür und traten in eine hohe gotische Bibliothek, die mit geschnitzter englischer Eiche getäfelt und vermutlich komplett aus irgendeiner Ruine jenseits des Atlantiks hierher gebracht worden war.

Ein stämmiger Mann mittleren Alters mit einer riesigen eulenäugigen Brille saß einigermaßen betrunken auf der Kante eines großen Tischs und starrte mit unsteter Konzentration auf die Regale mit Büchern. Bei unserem Eintreten drehte er sich nervös zu uns herum und musterte Jordan von Kopf bis Fuß.

»Was denken Sie?«, fragte er ungestüm.

»Worüber?«

Er deutete auf die Bücherregale.

»Darüber. Eigentlich brauchen Sie's gar nicht nachprüfen. Hab's schon geprüft. Sie sind echt.«

»Die Bücher?«

Er nickte.

»Absolut echt – mit Seiten und allem. Ich hielt sie erst für 'ne schöne haltbare Pappattrappe. Aber nichts da, sind absolut echt. Mit Seiten und ... Hier! Ich zeig's Ihnen.«

Er hielt uns für noch nicht überzeugt, stürzte zu den Bücherregalen und kam mit Band eins von *Stoddard's Lectures* zurück.

»Hier!«, rief er triumphierend. »Ein veritables Druckerzeugnis. Hat mich zum Narren gehalten. Der Bursche ist ein regelrechter Belasco. Eine Glanztat. Diese Gründlichkeit! Dieser Realismus! Wusste auch genau, wann er aufhören musste – hat die Seiten nicht aufgeschnitten. Aber was wollen Sie? Was erwarten Sie?«

Er riss mir das Buch aus den Händen, stellte es hastig zurück ins Regal und murmelte etwas davon, dass die ganze Bibliothek einzustürzen drohe, wenn auch nur ein Stein entfernt werde.

»Wer hat Sie mitgebracht?«, wollte er wissen. »Oder sind Sie etwa einfach hergekommen? Ich wurde mitgebracht. Die meisten hier wurden mitgebracht.«

Jordan sah ihn aufmerksam an, vergnügt, ohne zu antworten.

»Mich hat eine Frau namens Roosevelt mitgebracht«, fuhr er fort. »Mrs Claud Roosevelt. Kennen Sie sie? Ich hab sie gestern Abend irgendwo kennengelernt. Ich bin jetzt seit ungefähr einer Woche betrunken, und ich dachte, in einer Bibliothek zu sitzen könnte mich nüchtern machen.«

»Hat es das?«

»Ein bisschen, glaube ich. Kann ich noch nicht sagen. Ich bin erst seit einer Stunde hier. Hab ich Ihnen schon von den Büchern erzählt? Sie sind echt. Sie sind –«

»Ja, haben Sie.«

Wir schüttelten ihm feierlich die Hand und gingen wieder nach draußen.

Auf der Segeltuchbühne im Garten wurde inzwischen getanzt; alte Männer schoben junge Mädchen in endlosen ungraziösen Kreisen vor sich her, versiertere Paare umschlangen einander neumodisch umständlich und blieben dabei in den Ecken – und zahlreiche Mädchen tanzten einzeln nach ganz eigener Fasson oder nahmen dem Orchester für einen Moment die Last des Banjos oder Schlagzeugs ab. Gegen Mitternacht dann war die Stimmung noch ausgelassener. Ein gefeierter Tenor hatte Italienisches, eine berühmte Altistin Jazz gesungen, und zwischen den Nummern vollführten die Leute überall im Garten »Kunststückchen«, während Salven fröhlichen, hohlen Gelächters in den Sommerhimmel aufstiegen. Ein Bühnenzwillingspaar, das sich als die Mädchen in Gelb entpuppte, zeigte kostümiert einen Baby-Sketch, und der Champagner wurde in Gläsern größer als Fingerschalen serviert. Der Mond war höher gestiegen, und auf dem Sund trieb ein Dreieck aus silbernen Schuppen und zitterte leise zum harten, blechernen Tröpfeln der Banjos auf dem Rasen.

Ich hielt mich noch immer an Jordan Baker. Wir saßen an einem Tisch mit einem Mann etwa meines Alters und einem kleinen, übermütigen Mädchen, das beim geringsten Anlass in unbeherrschtes Lachen ausbrach. Mittlerweile amüsierte ich mich. Ich hatte zwei Fingerschalen Champagner getrunken, und die Szenerie hatte sich vor meinen Augen in etwas Bedeutsames, Natürliches und Tiefgründiges verwandelt.

Während einer Pause im Unterhaltungsprogramm schaute der Mann mich an und lächelte.

»Ihr Gesicht kommt mir bekannt vor«, sagte er höflich. »Waren Sie im Krieg nicht in der Ersten Division?«

»So ist es. Ich war im Achtundzwanzigsten Infanterieregiment.«

»Ich war im Sechzehnten, bis Juni neunzehnachtzehn. Ich wusste doch, dass ich Sie irgendwo schon mal gesehen habe.«

Wir sprachen eine Weile über das ein oder andere nassgraue Dörfchen in Frankreich. Offenbar wohnte er hier in der Gegend, denn er erzählte mir, er habe sich gerade ein Wasserflugzeug gekauft und wolle es am nächsten Morgen ausprobieren.

»Begleiten Sie mich, alter Knabe? Nur an der Küste entlang über den Sund.«

»Wie viel Uhr?«

»Wann immer es Ihnen passt.«

Es lag mir gerade auf der Zunge, ihn nach seinem Namen zu fragen, als Jordan sich umschaute und lächelte.

»Amüsieren Sie sich jetzt besser?«, erkundigte sie sich.

»Viel besser.« Ich wandte mich wieder meiner neuen Bekanntschaft zu. »Das ist eine recht ungewöhnliche Party, scheint mir. Den Gastgeber habe ich noch nicht mal zu Gesicht bekommen. Ich wohne gleich da drüben« – ich schwenkte meine Hand in Richtung der unsichtbaren Hecke in der Ferne – »und dieser Gatsby hat seinen Chauffeur mit einer Einladung losgeschickt.«

Einen Augenblick lang sah er mich an, als hätte er nicht recht verstanden.

»Ich bin Gatsby«, sagte er plötzlich.

»Was!«, rief ich aus. »Oh, bitte verzeihen Sie.«

»Ich dachte, Sie wüssten es, alter Knabe. Ich fürchte, ich bin kein sonderlich guter Gastgeber.«

Er lächelte verständnisvoll – weit mehr als verständnisvoll. Es war ein Lächeln jener seltenen Art, die einem für alle Zeiten Beruhigung verspricht, ein Lächeln, wie es einem vielleicht vier- oder fünfmal im Leben begegnet. Es blickte – so schien es zumindest – der gesamten äußeren Welt einen Moment lang entgegen, und dann konzentrierte es sich auf *dich* mit unwiderstehlicher, wohlwollender Voreingenommenheit. Es verstand dich gerade so weit, wie du verstanden werden wolltest, glaubte an dich, wie du selbst gern an dich glauben würdest, und versicherte dir, es habe von dir genau den Eindruck, den du im besten Fall zu vermitteln hofftest. An exakt diesem Punkt erlosch es – und ich schaute in das Gesicht eines eleganten jungen Raubeins, ein Jahr oder zwei über dreißig, dessen formvollendete Redeweise ans Absurde grenzte. Schon einige Zeit ehe er sich vorstellte, hatte ich den starken Eindruck, dass er seine Worte mit Bedacht wählte.

Fast im selben Augenblick, als Mr Gatsby sich zu erkennen gab, kam ein Butler zu ihm geeilt mit der Nachricht, dass Chicago für ihn am Telefon sei. Gatsby entschuldigte sich mit einer leichten Verbeugung, die jeden von uns der Reihe nach einschloss.

»Wenn Sie irgendetwas brauchen, fragen Sie einfach danach, alter Knabe«, bat er mich eindringlich. »Entschuldigen Sie mich. Ich stoße später wieder zu Ihnen.«

Als er gegangen war, wandte ich mich sofort an Jordan – es drängte mich, ihr meine Überraschung kundzutun. Ich hatte mir Mr Gatsby als rotgesichtigen, korpulenten Mann mittleren Alters vorgestellt.

»Wer ist er?«, fragte ich. »Wissen Sie das?«

»Er ist einfach ein Mann namens Gatsby.«

»Wo kommt er her, meine ich? Und was macht er?«

»Jetzt fangen *Sie* auch noch damit an«, antwortete sie mit einem matten Lächeln. »Also schön, mir hat er mal erzählt, er habe in Oxford studiert.«

Eine verschwommene Vorgeschichte begann hinter ihm Form anzunehmen, doch mit ihrer nächsten Bemerkung verblasste sie wieder.

»Allerdings glaube ich ihm nicht.«

»Warum nicht?«

»Ich weiß nicht«, beharrte sie, »ich glaube einfach nicht, dass er dort war.«

Etwas in ihrem Tonfall erinnerte mich an das »Ich glaube, er hat jemanden umgebracht« des anderen Mädchens, was meine Neugier weiter anfachte. Ich hätte gewiss ohne weiteres Nachfragen der Auskunft geglaubt, dass Gatsby den Sümpfen Louisianas oder der Lower East Side New Yorks entstammte. So viel ließ sich denken. Aber junge Männer tauchten nicht – wenigstens konnte ich mir das in meiner provinziellen Unerfahrenheit nicht vorstellen – mir nichts, dir nichts aus dem Nirgendwo auf und kauften einen Palast am Long Island Sound.

»Wie dem auch sei, er gibt jedenfalls große Partys«, sagte Jordan und wechselte mit dem Widerwillen des Städters gegen alles Konkrete das Thema. »Und ich mag große Partys. Sie sind so intim. Auf kleinen Partys kann man sich nirgends zurückziehen.«

Man hörte eine Basstrommel dröhnen, und die Stimme des Orchesterleiters erhob sich plötzlich über die Echolalie im Garten.

»Meine Damen und Herren«, rief er. »Auf Wunsch von Mr Gatsby spielen wir nun für Sie Mr Vladimir Tostoffs neuestes Werk, das letzten Mai in der Carnegie Hall so viel Aufsehen erregt hat. Wenn Sie die Zeitungen lesen, wissen Sie, dass es eine große Sensation war.« Er lächelte heiter herablassend und fügte hinzu: »Und zwar eine richtig große!« Worauf alle lachten.

»Das Stück«, schloss er voller Tatendrang, »ist bekannt als *Vladimir Tostoffs Weltgeschichte des Jazz*.«

Welcher Art Mr Tostoffs Komposition war, entging mir, denn just als das Stück begann, fiel mein Blick auf Gatsby, der allein auf der marmornen Treppe stand und wohlgefällig eine Gruppe nach der anderen betrachtete. Seine gebräunte Haut spannte sich einnehmend straff über seinem Gesicht, und sein kurzes Haar sah aus, als würde es täglich geschnitten. Ich konnte nichts Unheimliches an ihm entdecken. Ich fragte mich, ob die Tatsache, dass er nichts trank, dazu beitrug, ihn aus der Schar seiner Gäste herauszuheben, denn er wirkte umso korrekter auf mich, je ausgelassener die allgemeine Hochstimmung wurde. Als die *Weltgeschichte des Jazz* zu Ende war, lehnten Mädchen welpenhaft keck ihre Köpfe an Männerschultern, sanken Mädchen neckisch verzückt rückwärts in Männerarme, ja in ganze Gruppen hinein in der Gewissheit, dass einer sie schon auffangen werde – doch keines sank rückwärts in Gatsbys Arme, kein französischer Kurzhaarschnitt rührte an Gatsbys Schulter, und kein Gesangsquartett formierte sich mit Gatsbys Kopf als Teil des Ensembles.

»Verzeihen Sie bitte.«

Gatsbys Butler stand plötzlich neben uns.

»Miss Baker?«, fragte er. »Verzeihen Sie, aber Mr Gatsby würde gern unter vier Augen mit Ihnen sprechen.«

»Mit mir?«, rief sie überrascht aus.

»Ja, Madame.«

Sie erhob sich langsam, sah mich mit hochgezogenen Augenbrauen erstaunt an und folgte dem Butler zum Haus. Mir fiel auf, dass sie ihr Abendkleid, ja all ihre Kleider wie einen Sportdress trug – in ihren Bewegungen lag eine Unbekümmertheit, als hätte sie das Laufen an klaren, taufrischen Morgen auf Golfplätzen gelernt.

Ich war allein, und es war fast zwei. Seit einiger Zeit drangen verworrene, faszinierende Laute aus einem langen, vielfenstrigen Raum, der über die Terrasse ragte. Ich wich Jordans jungem Studenten aus, der inzwischen mit zwei Revuetänzerinnen in ein Gespräch über Geburtshilfe verwickelt war und mich beschwor, ich solle mich dazugesellen, und ging hinein.

Der große Raum war voller Leute. Eines der Mädchen in Gelb spielte Klavier, und neben ihr stand eine groß gewachsene, rothaarige junge Dame von einem berühmten Chor und sang. Sie hatte einiges an Champagner getrunken, und im Verlauf ihres Vortrags hatte sie unpassenderweise entschieden, dass alles sehr, sehr traurig war – sie sang nicht nur, sie weinte auch. Wann immer es im Lied eine Pause gab, füllte sie sie mit keuchenden, gebrochenen Schluchzern und fuhr dann mit bebendem Sopran im Text fort. Die Tränen strömten ihr über die Wangen – wenn auch nicht völlig ungehindert, denn sobald sie mit ihren tropfenschweren Wimpern in Berührung kamen, nahmen sie die Farbe von Tinte an und legten den Rest ihres Wegs in stockenden schwarzen Rinnsalen zurück. Von irgendwo kam der humorige Vorschlag, sie solle doch nach den Noten auf ihrem Gesicht singen, woraufhin sie die Hände hochwarf, auf einen Stuhl sank und in einen tiefen, weinseligen Schlaf hinüberglitt.

»Sie hatte Streit mit einem Mann, der behauptet, ihr Ehemann zu sein«, erklärte ein Mädchen, das neben mir stand.

Ich schaute mich um. Die meisten der verbliebenen Frauen hatten jetzt Streit mit Männern, die behaupteten, ihre Ehemänner zu sein. Selbst Jordans Bekanntenkreis, das Quartett aus East Egg, war nach einigen Disputen zersprengt. Einer der Männer unterhielt sich merkwürdig angeregt mit einer jungen Schauspielerin, und seine Frau, die angesichts der Situation zunächst würdevoll und gleichgültig zu lachen versucht hatte, brach völlig zusammen und verfiel auf Flankenattacken – in Abständen funkelte sie plötzlich wie ein zorniger Diamant neben ihm auf und zischte ihm »Du hast es versprochen!« ins Ohr.

Doch nicht nur ungehobelten Männern widerstrebte der Gedanke, nach Hause zu gehen. In der Halle standen jetzt zwei beklagenswert nüchterne Männer und ihre höchst indignierten Frauen. Letztere bemitleideten sich gegenseitig mit leicht erhobenen Stimmen.

»Sobald er merkt, dass ich mich amüsiere, will er nach Hause.«

»So was Egoistisches hab ich mein Lebtag noch nicht gehört.«

»Wir sind immer die Ersten, die gehen.«

»Genau wie wir.«

»Na ja, heute sind wir beinahe die Letzten«, sagte einer der Männer kleinlaut. »Das Orchester ist schon vor einer halben Stunde gegangen.«

Trotz der Übereinkunft der Gattinnen, solcherlei Böswilligkeit sei doch wohl unerhört, endete der Disput in einem kurzen Gerangel, und beide Frauen wurden strampelnd in die Nacht hinausgetragen.

Während ich in der Halle auf meinen Hut wartete, öffnete sich die Tür der Bibliothek und Jordan Baker und Gatsby kamen heraus. Er sagte gerade irgendein letztes Wort zu ihr, doch der Eifer in seinem Benehmen straffte sich unvermittelt zur Förmlichkeit, als einige Leute an ihn herantraten, um sich zu verabschieden.

Von der Veranda aus riefen Jordans Bekannte ungeduldig nach ihr, doch sie blieb noch einen Moment, um mir die Hand zu schütteln.

»Ich habe gerade eine völlig verrückte Geschichte gehört«, flüsterte sie. »Wie lang waren wir da drin?«

»Na, ungefähr eine Stunde.«

»Es war … einfach verrückt«, wiederholte sie geistesabwesend. »Aber ich habe geschworen, nichts zu verraten, und jetzt spanne ich Sie hier auf die Folter.« Sie gähnte mir elegant ins Gesicht. »Bitte kommen Sie und besuchen mich mal … Telefonbuch … Unter dem Namen Mrs Sigourney Howard … Meine Tante …« Noch im Sprechen eilte sie davon – ihre braune Hand grüßte beschwingt zum Abschied, als sie an der Tür mit der Gruppe ihrer Bekannten verschmolz.

Einigermaßen beschämt, dass ich gleich bei meinem ersten Besuch so lange geblieben war, schloss ich mich den letzten von Gatsbys Gästen an, die sich um ihn versammelt hatten. Ich wollte ihm erklären, dass ich ihn zu Beginn des Abends hatte finden wollen, und mich dafür entschuldigen, dass ich ihn im Garten nicht erkannt hatte.

»Lassen Sie's gut sein«, schärfte er mir lebhaft ein. »Denken Sie einfach nicht mehr daran, alter Knabe.« Die vertrauliche Anrede trug nicht mehr plumpe Vertraulichkeit in sich als die Hand, die beschwichtigend meine Schulter streifte. »Und vergessen Sie nicht, dass wir morgen früh eine Runde mit dem Wasserflugzeug drehen, um neun Uhr.«

Dann der Butler, an seiner Schulter:

»Philadelphia wünscht Sie am Telefon, Sir.«

»Schon gut, einen Moment noch. Sagen Sie ihnen, ich bin gleich da … Gute Nacht.«

»Gute Nacht.«

»Gute Nacht.« Er lächelte – und plötzlich schien es auf eine angenehme Weise bedeutsam zu sein, dass ich unter den Letzten war, die gingen, so als hätte er sich die ganze Zeit eben das gewünscht. »Gute Nacht, alter Knabe … Gute Nacht.«

Doch als ich die Stufen hinunterging, bemerkte ich, dass der Abend noch nicht ganz vorbei war. Fünfzig Fuß von der Tür entfernt beleuchtete ein Dutzend Scheinwerfer eine groteske, tumultartige Szene. Im Graben neben der Straße stand, zwar noch aufrecht, aber gewaltsam eines Rades beraubt, ein neues Coupé, das Gatsbys Auffahrt keine zwei Minuten zuvor verlassen hatte. Ein scharfer Mauervorsprung war wohl verantwortlich für das abgesprungene Rad, dem nun ein halbes Dutzend neugieriger Chauffeure beträchtliche Aufmerksamkeit widmete. Da allerdings ihre verlassenen Wagen die Straße blockierten, schallte seit einiger Zeit von den weiter hinten stehenden ein zorniger, dissonanter Lärm herüber, der das ohnehin schon gewaltige Durcheinander der Szene noch steigerte.

Ein Mann im langen Staubmantel war aus dem Unglückswagen gestiegen, stand jetzt mitten auf der Straße und schaute verwirrt und liebenswürdig vom Auto zum Reifen und vom Reifen zu den Schaulustigen.

»Sehen Sie sich das an!«, erklärte er. »Glatt in den Graben gefahren.«

Das Ganze war ihm ein einziges Rätsel, und ich erkannte zuerst die ungewöhnliche Intensität dieses Staunens wieder und dann den Mann – es war der späte Gast aus Gatsbys Bibliothek.

»Was ist passiert?«

Er zuckte die Schultern.

»Ich verstehe rein gar nichts von Technik«, sagte er entschieden.

»Aber was ist denn passiert? Sind Sie gegen die Mauer gefahren?«

»Fragen Sie mich nicht«, sagte Eulenauge, als wollte er mit der Sache nichts mehr zu tun haben. »Ich verstehe sehr wenig vom Autofahren – so gut wie gar nichts. Es ist passiert, mehr weiß ich nicht.«

»Tja, wenn Sie ein so schlechter Fahrer sind, sollten Sie's nicht auch noch nachts versuchen.«

»Aber ich hab's ja nicht mal versucht«, erklärte er empört, »ich hab's ja nicht mal versucht.«

Ehrfürchtiges Schweigen senkte sich auf die Umstehenden.

»Wollen Sie sich umbringen?«

»Sie haben Glück, dass es nur ein Rad war! Ein schlechter Fahrer sein und es nicht mal *versuchen*!«

»Sie verstehen nicht«, rechtfertigte sich der Angeklagte. »Ich bin nicht gefahren. Da sitzt noch ein anderer im Auto.«

Der Schock, der dieser Erklärung folgte, machte sich Luft in einem lang gezogenen »Ah-h-h!«, als die Tür des Coupés langsam aufschwang. Die Menge – inzwischen war es eine Menge – wich unwillkürlich zurück, und als die Tür sich weit geöffnet hatte, entstand eine gespenstische Pause. Dann, ganz allmählich, Stück für Stück, schob sich ein bleiches, schlackerndes Individuum aus dem Wrack und scharrte zaghaft mit einem großen unsicheren Tanzschuh über den Boden.

Vom grellen Scheinwerferlicht geblendet und durch das unaufhörliche Ächzen der Hupen verwirrt, stand der Erschienene für einen Augenblick schwankend da, ehe er den Mann im Staubmantel bemerkte.

»Was'n los?«, erkundigte er sich seelenruhig. »Kein' Sprit mehr?«

»Da!«

Ein halbes Dutzend Finger zeigte auf das amputierte Rad – er starrte es einen Moment lang an und richtete dann seinen Blick nach oben, als argwöhnte er, dass es vom Himmel gefallen war.

»Ist abgegangen«, erläuterte jemand.

Er nickte.

»Hab ers gar nicht gemerkt, dass wir angehaltn ham.«

Pause. Dann, nachdem er tief eingeatmet und seine Schultern gestrafft hatte, sagte er mit entschlossener Stimme: »Kammir wohl einer sagn, wo's hier 'ne Tankstelle hat?«

Mindestens ein Dutzend Männer, manche von ihnen in kaum besserer Verfassung als er, erklärten ihm, dass zwischen Rad und Auto keinerlei physische Verbindung mehr bestand.

»Zurücksetzn«, schlug er kurz darauf vor. »Rückwärtsgang einlegn.«

»Aber das *Rad* ist ab!«

Er zögerte.

»Versuchn schadet nix«, sagte er.

Das Gejaule der Hupen hatte sich inzwischen zum Crescendo gesteigert, und ich wandte mich ab und schlenderte quer über den Rasen nach Hause. Einmal blickte ich flüchtig zurück. Ein Oblatenmond beschien Gatsbys Haus, machte die Nacht schön wie zuvor und überdauerte das Gelächter und die

Geräusche seines noch immer glühenden Gartens. Eine plötzliche Leere schien nun aus den Fenstern und Flügeltüren zu strömen und umgab die Gestalt des Gastgebers, der, seine Hand zu einer förmlichen Geste des Abschieds erhoben, auf der Veranda stand, mit vollkommener Einsamkeit.

Wenn ich das bisher Geschriebene noch einmal lese, fällt mir auf, dass ich den Eindruck vermittelt habe, die Ereignisse dreier Nächte im Abstand mehrerer Wochen seien das Einzige gewesen, das mich beschäftigte. Doch eigentlich waren sie nur beiläufige Ereignisse in einem prallvollen Sommer, und vorerst, zumindest noch eine ganze Weile, beschäftigten sie mich unendlich viel weniger als meine persönlichen Angelegenheiten.

Die meiste Zeit arbeitete ich. Früh am Morgen warf die Sonne meinen Schatten nach Westen, wenn ich durch die weißen Schluchten von Lower Manhattan zum Probity Trust eilte. Ich kannte die übrigen Angestellten und jungen Wertpapierhändler beim Vornamen und saß mit ihnen während der Mittagspause in dunklen, überfüllten Lokalen vor Schweinswürstchen, Kartoffelbrei und Kaffee. Ich hatte sogar eine kurze Affäre mit einem Mädchen, das in Jersey City wohnte und in der Buchhaltung arbeitete, doch ihr Bruder begann mir böse Blicke zuzuwerfen, und so ließ ich die Sache während ihres Urlaubs im Juli leise ausklingen.

Am Abend aß ich gewöhnlich im Yale Club – aus irgendeinem Grund war es für mich das trübste Ereignis des Tages –, dann ging ich hinauf in die Bibliothek und brütete eine Gewissensstunde lang über Kapitalanlagen und Schuldverschreibungen. Fast immer gab es ein paar Radaubrüder im Club, aber sie kamen nie in die Bibliothek, sodass es sich dort gut arbeiten ließ. An heiteren Abenden schlenderte ich danach die Madison Avenue hinunter, vorbei am alten Murray Hill Hotel und über die 33. Straße zur Pennsylvania Station.

Ich fing an, New York zu mögen, seine unternehmungslustig pulsierende Atmosphäre bei Nacht und die Befriedigung, die das stete Geflirr von Männern und Frauen und Maschinen dem rastlosen Auge bietet. Es gefiel mir, die Fifth Avenue hinaufzuspazieren, mir in der Menge romantische Frauen auszusuchen und mir vorzustellen, dass ich in wenigen Minuten in ihr Leben treten und niemand es je erfahren oder missbilligen würde. Hin und wieder, in meinen Gedanken, folgte ich ihnen bis zu ihren Wohnungen an den Ecken unbekannter Straßen, und sie drehten sich um und erwiderten mein Lächeln, ehe sie sich durch eine Tür in warmer Dunkelheit auflösten. Im verzauberten Zwielicht der Großstadt empfand ich manchmal eine quälende Einsamkeit und empfand sie auch bei andern – armen jungen Angestellten, die vor den Fenstern umherstreunten und warteten, bis die Zeit zum einsamen Abendessen im Restaurant gekommen war – junge Angestellte in der Dämmerung, die die ergreifendsten Momente der Nacht und des Lebens vergeudeten.

Und gegen acht Uhr, wenn die Taxis mit pochenden Motoren zum Theaterviertel unterwegs waren und in Fünferreihen die dunklen Schneisen der Vierzigerstraßen verstopften, wurde mir aufs Neue das Herz schwer. In den wartenden Taxis lehnten sich Schemen aneinander, Stimmen sangen, Gelächter folgte auf ungehörte Späße, und glühende Zigaretten beschrieben im Innern undeutliche Kreise. Ich malte mir aus, dass auch ich irgendeiner Vergnügung zustrebte, nahm Anteil an ihrer innigen Vorfreude und wünschte ihnen das Beste.

Für eine Weile verlor ich Jordan Baker aus den Augen, doch im Hochsommer begegnete ich ihr wieder. Zuerst schmeichelte es mir, mit ihr auszugehen, weil sie Golfmeisterin war und alle Welt ihren Namen kannte. Dann war da mehr als das. Ich war nicht eigentlich verliebt, aber ich empfand eine Art zarter Neugier. Das gelangweilte, hochmütige Gesicht, das sie der Welt zeigte, verbarg etwas – irgendwann verbergen die meisten Affektiertheiten etwas, selbst wenn sie es anfangs nicht tun –, und eines Tages fand ich heraus, was es war. Als wir gemeinsam auf einer großen Party oben in Warwick waren, ließ sie einen geliehenen Wagen mit offenem Verdeck draußen im Regen stehen und zog sich mit einer Lüge aus der Affäre – und plötzlich erinnerte ich mich wieder an die Geschichte über sie, die mir an dem Abend bei Daisy nicht eingefallen war. Bei ihrem ersten großen Golfturnier hatte es einen Aufruhr gegeben, der fast in die Zeitungen gekommen wäre – man verdächtigte sie damals, im Halbfinale ihren Ball aus schlechter Position umgelegt zu haben. Die Sache wuchs sich beinahe zu einem Skandal aus – dann glätteten sich die Wogen. Ein Caddie zog seine Aussage zurück, und der einzige andere Zeuge räumte ein, er habe sich möglicherweise geirrt. Vorfall und Name waren mir gemeinsam im Gedächtnis geblieben.

Jordan Baker ging klugen, geistreichen Männern instinktiv aus dem Weg, und nun verstand ich, warum das so war – sie fühlte sich sicherer auf einem Terrain, auf dem man jede Abweichung von der Norm für ausgeschlossen hielt. Sie war unheilbar unehrlich. Sie ertrug es nicht, im Nachteil zu sein, und dieser Widerwille war vermutlich der Grund dafür, dass sie sich von frühester Jugend an Ausflüchte suchte, um der Welt weiterhin jenes kühle, anmaßende Lächeln zeigen und dennoch die Bedürfnisse ihres harten, grazilen Körpers befriedigen zu können.

Mich kümmerte das nicht weiter. Unehrlichkeit lässt sich einer Frau nie ernstlich vorwerfen – ich war kurz ein wenig betrübt, dann vergaß ich es wieder. Anlässlich der erwähnten Party führten wir auch ein merkwürdiges Gespräch übers Autofahren. Es begann, als sie so dicht an einigen Arbeitern vorbeifuhr, dass unser Kotflügel einem der Männer einen Knopf von der Jacke pflückte.

»Sie fahren hundsmiserabel«, protestierte ich. »Sie sollten entweder vorsichtiger sein oder überhaupt nicht mehr fahren.«

»Ich bin vorsichtig.«

»Nein, sind Sie nicht.«

»Tja, andere Leute schon«, sagte sie leichthin.

»Was soll das denn bedeuten?«

»Sie werden mir ausweichen«, behauptete sie. »Zu einem Unfall braucht's immer zwei.«

»Vielleicht treffen Sie ja mal auf jemanden, der genauso sorglos ist wie Sie.«

»Das wird hoffentlich nie passieren«, antwortete sie. »Ich hasse sorglose Leute. Deshalb mag ich Sie.«

Ihre grauen, sonnenstrapazierten Augen blickten starr geradeaus, doch sie hatte soeben bewusst die Ebene unserer Beziehung gewechselt, und einen Moment lang dachte ich, dass ich sie liebte. Allerdings denke ich recht langsam und stecke voller innerer Regeln, die wie Bremsen auf meine Sehnsüchte wirken, und ich wusste, dass ich mich zuerst endgültig aus den Verwicklungen befreien musste, die mich an zu Hause banden. Noch immer schrieb ich jede Woche einen Brief und unterzeichnete ihn mit »Herzlich, Dein Nick«, und alles, woran ich dabei denken konnte, war, wie sich, wenn das gewisse Mädchen Tennis spielte, ein schwaches Bärtchen aus Schweißperlen auf ihrer Oberlippe bildete. Dennoch gab es da eine vage Übereinkunft, die taktvoll gelöst werden musste, ehe ich frei war.

Ein jeder vermutet bei sich wenigstens eine Kardinaltugend, und bei mir ist es diese: Ich bin einer der wenigen ehrlichen Menschen, die mir bisher begegnet sind.

KAPITEL 4

Wenn am Sonntagmorgen in den Dörfern entlang der Küste die Kirchenglocken läuteten, kehrten die Welt und ihre Gebieterin in Gatsbys Haus zurück und funkelten ausgelassen auf seinem Rasen.

»Er ist Alkoholschmuggler«, sagten die jungen Damen, während sie irgendwo zwischen seinen Cocktails und seinen Blumen lustwandelten. »Er hat mal einen Mann getötet, der gehört hatte, er sei ein Neffe Hindenburgs und ein Cousin zweiten Grades des Teufels. Reich mir eine Rose, Herzchen, und gieß mir noch einen letzten Tropfen da drüben in das Kristallglas.«

Einmal notierte ich in den Lücken eines Kursbuchs die Namen all derer, die in jenem Sommer in Gatsbys Haus erschienen. Das Buch ist inzwischen alt und fällt langsam auseinander; es trägt die Aufschrift »Fahrplan gültig ab 5. Juli 1922«. Aber ich kann die grauen Namen noch lesen, und sie werden weit besser als meine Gemeinplätze einen Eindruck von jener Gesellschaft vermitteln, die Gatsbys Gastfreundschaft in Anspruch nahm und es ihm feinsinnig damit vergalt, nicht das Geringste über ihn zu wissen.

Aus East Egg also kamen die Chester Beckers und die Leeches, ein Mann namens Bunsen, den ich aus Yale kannte, sowie Doktor Webster Civet, der letzten Sommer oben in Maine ertrank. Auch die Hornbeams waren da und die Willie Voltaires und ein ganzer Clan mit dem Namen Blackbuck, dessen Mitglieder sich jedes Mal in einer Ecke versammelten und wie die Ziegen jedem, der in ihre Nähe kam, die Nasen entgegenreckten. Außerdem die Ismays und die Chrysties (oder vielmehr Hubert Auerbach mit Mr Chrysties Frau) sowie Edgar Beaver, dessen Haar angeblich eines Winternachmittags ohne jeden triftigen Anlass schlohweiß geworden war.

Clarence Endive war ebenfalls aus East Egg, soweit ich mich erinnere. Er kam nur einmal, trug weiße Kniebundhosen und geriet im Garten mit einem Saufbold namens Etty aneinander. Aus einem entlegeneren Teil der Insel kamen die Cheadles und die O. R. P. Schraeders, die Stonewall Jackson Abrams aus Georgia sowie die Fishguards und die Ripley Snells. Snell musste drei Tage später ins Gefängnis und lag derart betrunken in der Kieseinfahrt, dass Mrs Ulysses Swetts Automobil ihm über die rechte Hand rollte. Auch die Dancies kamen, ebenso wie S. B. Whitebait, der weit über sechzig war, Maurice A. Flink, die Hammerheads und Beluga, der Tabakimporteur, und dazu noch Belugas Mädchen.

Aus West Egg erschienen die Poles und die Mulreadys, Cecil Roebuck und Cecil Schoen, Senator Gulick, Newton Orchid, Geschäftsführer von Films Par Excellence, sowie Eckhaust, Clyde Cohen, Don S. Schwartze (der Sohn) und Arthur McCarty, die allesamt auf die eine oder andere Weise mit der Filmbranche zu tun hatten. Außerdem die Catlips, die Bembergs und G. Earl Muldoon, der Bruder jenes Muldoon, der später seine Frau erwürgte. Der Förderer Da Fontano kam ebenso wie Ed Legros und James B. (»Fusel«) Ferret, die De Jongs und Ernest Lilly – sie kamen, um zu spielen, und wenn Ferret sich hinaus in den Garten trollte, bedeutete das, dass er blank war und Associated Traction sich am nächsten Tag einträglich würde entwickeln müssen.

Ein Mann namens Klipspringer war so oft da und blieb so lange, dass man ihn schlicht den »Kostgänger« nannte – ich frage mich, ob er überhaupt ein anderes Zuhause hatte. Von den Theaterleuten erschienen Gus Waize und Horace O'Donavan, Lester Meyer und George Duckweed und Francis Bull. Ebenfalls aus New York kamen die Chromes und die Backhyssons und die Dennickers, Russel Betty, die Corrigans, die Kellehers und die Dewars sowie die Scullys und S. W. Belcher und die Smirkes und die jungen Quinns, die inzwischen geschieden sind, und Henry L. Palmetto, der sich das Leben nahm, indem er am Times Square vor eine U-Bahn sprang.

Benny McClenahan tauchte immer mit vier Mädchen auf. Rein physisch betrachtet waren es nie wirklich dieselben, aber sie glichen einander so sehr, dass man unweigerlich den Eindruck hatte, sie wären vorher schon einmal da gewesen. Ihre Namen habe ich vergessen – Jaqueline vielleicht oder auch Consuela oder Gloria oder Judy oder June, und ihre Nachnamen waren entweder die wohlklingenden Namen von Blumen und Monaten oder die strengeren der großen amerikanischen Kapitalisten, deren Cousinen zu sein sie auf drängendes Nachfragen hin zugaben.

Darüber hinaus kann ich mich erinnern, dass mindestens einmal Faustina O'Brien dort war, ebenso wie die Baedeker-Mädchen und der junge Brewer, dem man im Krieg die Nase abgeschossen hatte, Mr Albrucksburger mit Miss Haag, seiner Verlobten, dann Ardita Fitz-Peters und Mr P. Jewett, ehemals Vorstand der American Legion, Miss Claudia Hip samt einem Mann, den man für ihren Chauffeur hielt, sowie ein Prinz von Irgendwas, den wir Duke nannten und dessen Name mir, sollte ich ihn je gekannt haben, entfallen ist.

All diese Leute kamen im Sommer in Gatsbys Haus.

Ende Juli schaukelte eines Morgens um neun Uhr Gatsbys herrlicher Wagen die holprige Auffahrt zu meiner Haustür herauf und gab mit seiner Drei-Ton-Hupe einen sonoren Fanfarenstoß von sich. Es war das erste Mal, dass er mich aufsuchte, obwohl ich bereits auf zwei seiner Partys gewesen war, in seinem Wasserflugzeug gesessen hatte und auf seine nachdrückliche Einladung hin regelmäßig seinen Badestrand nutzte.

»Guten Morgen, alter Knabe. Sie essen heute mit mir zu Mittag, und ich dachte, wir fahren am besten gemeinsam in die Stadt.«

Er balancierte auf dem Trittbrett seines Wagens und zeigte dabei jene findige Beweglichkeit, die so eigentümlich amerikanisch ist – und die, wie ich vermute, vom Fehlen schwerer körperlicher Arbeit in der Jugend herrührt und, mehr noch, von der formlosen Grazie unseres fahrigen, sporadischen Sportunterrichts. Diese Eigenschaft durchbrach immer wieder sein peinlich korrektes Verhalten und verlieh ihm eine Art Rastlosigkeit. Nie war er vollkommen ruhig; stets rührte sich irgendwo ein klopfender Fuß oder eine Hand, die sich ungeduldig öffnete und wieder schloss.

Er bemerkte, wie ich voller Bewunderung seinen Wagen betrachtete.

»Ganz nett, nicht wahr, alter Knabe?« Er sprang herunter, um mir eine bessere Sicht zu ermöglichen. »Haben Sie ihn noch nie gesehen?«

Ich hatte ihn gesehen. Jeder hatte ihn gesehen. Er war satt cremefarben mit glänzenden Nickelbeschlägen, an verschiedenen Stellen seiner monströsen Länge geschwollen von prächtigen Hut- und Picknick- und Werkzeugfächern und gesäumt von einem Labyrinth aus Windschutzscheiben, in denen sich Dutzende Sonnen spiegelten. Wir setzten uns hinter den vielen Glasschichten in eine Art Wintergarten aus grünem Leder und machten uns auf den Weg in die Stadt.

Ich hatte im vergangenen Monat vielleicht ein halbes Dutzend Mal mit Gatsby gesprochen und zu meiner Enttäuschung festgestellt, dass er wenig zu sagen hatte. Mein erster Eindruck, er sei eine auf unbestimmte Weise bedeutsame Persönlichkeit, war allmählich verblasst, und nun war er für mich nichts weiter als der Inhaber eines luxuriösen Gasthauses gleich nebenan.

Und dann kam jene verstörende Autofahrt. Wir hatten West Egg Village noch nicht erreicht, als Gatsby anfing, seine geschliffenen Sätze unvollendet zu lassen und sich unschlüssig auf das Knie seines karamellfarbenen Anzugs zu schlagen.

»Sagen Sie mal, alter Knabe«, platzte er unvermittelt heraus, »was halten Sie eigentlich von mir?«

Ein wenig überrumpelt, begann ich in jenen ausweichenden Formeln zu antworten, die diese Frage verdient.

»Na schön, ich erzähle Ihnen jetzt etwas über mein Leben«, unterbrach er mich. »Ich möchte nicht, dass Sie sich wegen all der Geschichten, die Sie über mich hören, ein falsches Bild von mir machen.«

Er war sich also im Klaren über die abstrusen Anschuldigungen, die den Gesprächen in seinen Salons Würze verliehen.

»Ich sage Ihnen die reine, heilige Wahrheit.« Seine rechte Hand reckte sich plötzlich fordernd nach göttlichem Beistand. »Ich bin der Spross wohlhabender Leute aus dem Mittleren Westen – die inzwischen allesamt tot sind. Ich bin in Amerika aufgewachsen, habe aber in Oxford studiert, so wie über die Jahre alle meine Vorfahren dort studiert haben. Es ist eine Familientradition.«

Er sah mich von der Seite an – und ich begriff, warum Jordan Baker geglaubt hatte, dass er log. Er überstürzte die Worte »in Oxford studiert«, verschluckte sie fast oder würgte an ihnen, als hätten sie ihm zuvor Probleme bereitet. Unter diesem Zweifel brach seine ganze Erklärung zusammen, und ich fragte mich, ob es am Ende nicht doch einen Anflug von Zwielichtigkeit an ihm gab.

»Welcher Teil des Mittleren Westens?«, erkundigte ich mich beiläufig.

»San Francisco.«

»Aha.«

»Meine Verwandten sind alle gestorben und ich habe eine Menge Geld geerbt.«

Sein Ton war ernst, als verfolgte ihn die Erinnerung an diese jähe Auslöschung eines Clans noch immer. Einen Moment lang glaubte ich, er wolle mich auf den Arm nehmen, doch ein flüchtiger Blick auf ihn belehrte mich eines Besseren.

»Danach lebte ich wie ein junger Radscha in den Metropolen Europas – Paris, Venedig, Rom –, sammelte Edelsteine, hauptsächlich Rubine, ging auf Großwildjagd, malte ein bisschen, allerdings nur für mich selbst, und versuchte, etwas sehr

Trauriges zu vergessen, das mir vor langer Zeit widerfahren war.«

Es kostete mich einige Anstrengung, ein ungläubiges Lachen zu unterdrücken. Diese Formulierungen waren derart abgedroschen, dass sie einzig und allein das Bild einer turbantragenden »Heldenfigur« heraufbeschworen, der das Sägemehl aus jeder Pore rann, während sie einen Tiger durch den Bois de Boulogne jagte.

»Dann kam der Krieg, alter Knabe. Das war eine große Erleichterung, und ich gab mir alle Mühe zu sterben, doch auf meinem Leben schien irgendein Zauber zu liegen. Als es losging, nahm ich eine Ernennung zum Oberleutnant an. Im Argonnerwald stieß ich mit dem Rest meines Maschinengewehrbataillons so weit vor, dass wir an beiden Flanken eine Lücke von einer halben Meile rissen, in die die Infanterie nicht vorrücken konnte. Wir harrten dort zwei Tage und zwei Nächte aus, einhundertdreißig Männer mit sechzehn Lewis-Geschützen, und als die Infanterie schließlich zu uns vordrang, fand sie die Abzeichen dreier deutscher Divisionen unter den Bergen von Toten. Ich wurde zum Major befördert, und jede einzelne Alliierte Regierung verlieh mir einen Orden – selbst Montenegro, das kleine Montenegro unten am Adriatischen Meer!«

Das kleine Montenegro! Er hob die Wörter empor und nickte ihnen zu – mit seinem Lächeln. Das Lächeln erfasste Montenegros bewegte Geschichte und sympathisierte mit dem tapferen Kampf des montenegrinischen Volkes. Es wusste die Kette nationaler Ereignisse, die Montenegros warmem kleinen Herzen diesen Tribut entlockt hatten, vollauf zu würdigen. Faszination überlagerte jetzt meine Skepsis; es war, als durchblätterte ich hastig ein Dutzend Zeitschriften.

Er griff in seine Tasche und ein an einem Band befestigtes Stück Metall landete in meiner Handfläche.

»Das ist der aus Montenegro.«

Zu meinem Erstaunen sah das Ding echt aus. »Orderi di Danilo«, lautete die kreisrunde Inschrift, »Montenegro, Nicolas Rex.«

»Drehen Sie's um.«

»Major Jay Gatsby«, las ich. »Für außergewöhnliche Tapferkeit.«

»Hier ist noch eine andere Sache, die ich stets bei mir trage. Ein Andenken an Oxford. Es wurde im Trinity Quad aufgenommen – der Mann links von mir ist der heutige Earl of Doncaster.«

Die Fotografie zeigte ein halbes Dutzend junger Männer in Blazern, die lässig in einem Bogengang herumstanden, an dessen Ende eine Unmenge spitzer Türme sichtbar war. Da stand Gatsby, wirkte ein wenig jünger, wenn auch nicht viel – und hielt einen Kricketschläger in der Hand.

Dann war also alles wahr. Ich sah die flammenden Tigerfelle in seinem Palazzo am Canal Grande vor mir; ich sah ihn eine Truhe voller Rubine öffnen, um durch einen Blick in ihre karmesinrot leuchtenden Tiefen den nagenden Schmerz seines gebrochenen Herzens zu lindern.

»Ich werde Sie heute um einen großen Gefallen bitten«, sagte er und steckte seine Andenken zufrieden wieder ein, »also dachte ich mir, Sie sollten einige Dinge über mich wissen. Ich wollte nicht, dass Sie glauben, ich wäre irgendein Niemand. Sehen Sie, ich bewege mich die meiste Zeit unter Fremden, weil ich mich ziellos umhertreiben lasse und die traurige Geschichte zu vergessen versuche, die mir passiert ist.« Er zögerte. »Heute Nachmittag erfahren Sie mehr darüber.«

»Beim Mittagessen?«

»Nein, heute Nachmittag. Ich weiß zufällig, dass Sie Miss Baker zum Tee ausführen.«

»Sie wollen sagen, Sie sind in Miss Baker verliebt?«

»Nein, alter Knabe, bin ich nicht. Aber Miss Baker hat sich freundlicherweise bereit erklärt, mit Ihnen über diese Angelegenheit zu sprechen.«

Ich hatte nicht die leiseste Ahnung, worum es bei »dieser Angelegenheit« ging, doch ich war eher verärgert als interessiert. Ich hatte Jordan nicht zum Tee gebeten, um über Mr Jay Gatsby zu reden. Ich war sicher, dass dieser Gefallen etwas vollkommen Aberwitziges sein musste, und einen Moment lang bedauerte ich, meinen Fuß je auf seinen übervölkerten Rasen gesetzt zu haben.

Er sagte kein weiteres Wort. Seine Förmlichkeit kehrte allmählich zurück, während wir uns der Stadt näherten. Wir passierten Port Roosevelt, wo sich kurz die Aussicht auf rot gegürtete Hochseeschiffe bot, und rasten durch ein kopfsteingepflastertes Armenviertel, vorüber an den düsteren, noch immer gut gefüllten Kneipen des verblichen goldenen neunzehnten Jahrhunderts. Dann öffnete sich vor uns zu beiden Seiten das Tal der Asche, und im Vorbeifahren erhaschte ich einen flüchtigen Blick auf Mrs Wilson, die sich gerade lebhaft keuchend an der Zapfsäule abmühte.

Mit Kotflügeln breit wie Schwingen streuten wir Licht durch halb Astoria – nur halb, denn als wir uns zwischen den Stützpfeilern der Hochbahn hindurchschlängelten, hörte ich das vertraute »Tuck-tuck-*paff!*« eines Motorrads, und ein wutschnaubender Polizist war an unserer Seite.

»Schon gut, alter Knabe!«, rief Gatsby. Wir fuhren langsamer.

Er zog eine weiße Karte aus seiner Brieftasche und wedelte damit vor der Nase des Mannes herum.

»Schon recht, in Ordnung«, lenkte der Polizist ein und tippte sich an die Mütze. »Nächstes Mal weiß ich Bescheid, Mr Gatsby. *Mein* Fehler!«

»Was war das?«, fragte ich. »Das Bild aus Oxford?«

»Ich konnte dem Polizeichef einmal eine Gefälligkeit erweisen, und er schickt mir jedes Jahr eine Weihnachtskarte.«

Weiter über die große Brücke, wo das Sonnenlicht durch die Träger fällt und einen unablässig flackernden Schein auf die fahrenden Autos wirft, wo auf der anderen Flussseite die Stadt aufragt, weiße Haufen und Stücke von Zucker, alle auf Wunsch gebaut mit geruchlich unauffälligem Geld. Wer von der Queensboro Bridge auf die Stadt blickt, sieht sie jedes Mal aufs Neue zum ersten Mal, in ihrer ersten wilden Verheißung aller Mysterien und Schönheiten dieser Welt.

Ein Toter in einem blumenüberhäuften Leichenwagen glitt an uns vorüber, gefolgt von zwei Wagen mit verhängten Fenstern und einigen etwas heitereren Gefährten für Freunde. Die Freunde schauten zu uns herüber mit den Tragödenaugen und schmalen Oberlippen Südosteuropas, und ich war froh, dass der Anblick von Gatsbys herrlichem Auto nun Teil ihres düsteren Feiertags war. Als wir Blackwell's Island überquerten, zog eine Limousine mit einem weißen Chauffeur am Steuer an uns vorbei, in der drei modisch gekleidete Neger saßen, zwei junge Draufgänger und ein Mädchen. Ich lachte laut auf, als sie in stolzer Rivalität das Weiß ihrer Augäpfel in unsere Richtung rollten.

»Jetzt, da wir über diese Brücke hinweg sind, ist alles möglich«, dachte ich, »absolut alles ...«

Sogar Gatsby war möglich, ohne irgendein besonderes Wunder.

Brüllende Mittagshitze. In einem gut belüfteten Kellerlokal in der zweiundvierzigsten Straße traf ich Gatsby zum Mittagessen. Meine Augen blinzelten die Helligkeit der Straße draußen fort und machten ihn undeutlich im Vorraum aus, wo er mit einem anderen Mann sprach.

»Mr Carraway, das ist mein Freund Mr Wolfshiem.«

Ein kleiner, flachnasiger Jude hob seinen großen Kopf und betrachtete mich mit zwei ansehnlichen Haarbüscheln, die ihm üppig aus beiden Nasenlöchern sprossen. Kurz darauf entdeckte ich im Halbdunkel seine winzigen Augen.

»… Ich hab ihn mir also angesehn«, sagte Mr Wolfshiem, indem er mir ernst die Hand schüttelte, »und was, glaubst du, hab ich dann gemacht?«

»Was?«, erkundigte ich mich höflich.

Aber er sprach offenbar nicht mit mir, denn er ließ meine Hand los und musterte Gatsby mit seiner ausdrucksstarken Nase.

»Ich hab Katspaugh das Geld gegeben und gesagt: ›Hör zu, Katspaugh, du zahlst ihm nicht einen Penny, bis er die Klappe hält.‹ Sofort war die Klappe zu.«

Gatsby nahm uns beide am Arm und führte uns ins Restaurant, worauf Mr Wolfshiem einen soeben neu begonnenen Satz hinunterschluckte und in schlafwandlerische Geistesabwesenheit sank.

»Highballs?«, fragte der Oberkellner.

»Nettes Restaurant hier«, sagte Mr Wolfshiem und betrachtete die presbyterianischen Nymphen an der Decke. »Aber gegenüber find ich's noch besser!«

»Ja, Highballs«, sagte Gatsby, und dann an Mr Wolfshiem gerichtet: »Da drüben ist es zu heiß.«

»Heiß und eng – ja«, sagte Mr Wolfshiem, »aber voller Erinnerungen.«

»Welches Lokal ist das?«, fragte ich.

»Das alte Metropole.«

»Das alte Metropole«, sinnierte Mr Wolfshiem düster. »Voll mit Gesichtern, seit Langem tot. Voll mit Freunden, die heut nich mehr sind. Mein Lebtag werd ich die Nacht nich vergessen, in der sie drüben Rosy Rosenthal erschossen haben. Wir saßen zu sechst am Tisch, und Rosy hatte den ganzen Abend jede Menge gegessen und getrunken. Es war schon fast Morgen, da kam der Kellner mit 'nem komischen Blick auf ihn zu und sagt, dass draußen wer mit ihm reden will. ›Na schön‹, sagt Rosy und will aufstehn, und ich zieh ihn wieder runter auf seinen Stuhl.

›Lass die Bastarde doch reinkommen, wenn die was von dir wollen, Rosy, aber verlass um Himmels willen nich diesen Raum.‹

Da war es schon vier Uhr früh, und wenn wir die Rouleaus hochgezogen hätten, wär uns aufgefallen, dass es taghell war.«

»Ist er gegangen?«, fragte ich unschuldig.

»Klar ist er gegangen.« Mr Wolfshiems Nase blitzte mich empört an. »In der Tür hat er sich umgedreht und gesagt: ›Seht zu, dass der Kellner mir meinen Kaffee nich abräumt!‹ Dann ist er raus auf den Bürgersteig, und sie haben ihm dreimal in seinen vollen Bauch geschossen und sind weggefahrn.«

»Vier von ihnen endeten auf dem elektrischen Stuhl«, erinnerte ich mich jetzt.

»Fünf, mit Becker.« Seine Nasenlöcher wandten sich mir interessiert zu. »Ich höre, Sie sind auf der Suche nach Geschäftsgondagden.«

Das Nebeneinander dieser beiden Bemerkungen war verblüffend. Gatsby antwortete für mich:

»Oh, nein«, rief er, »das ist nicht der Richtige!«

»Nein?« Mr Wolfshiem schien enttäuscht.

»Das ist nur ein Freund. Ich sagte dir doch, wir reden ein anderes Mal darüber.«

»Entschuldigen Sie«, sagte Mr Wolfshiem, »ich hab mich in der Person geirrt.«

Ein saftiges Haschee wurde aufgetragen, und Mr Wolfshiem vergaß allmählich die sentimentalere Atmosphäre des alten Metropole und begann wild und genussvoll zu essen. Seine Augen durchmaßen derweil sehr langsam den Raum – er beschloss den Rundgang, indem er sich umdrehte, um sich die Leute unmittelbar hinter ihm anzusehen. Wäre ich nicht da gewesen, er hätte vermutlich sogar noch einen kurzen Blick unter unseren Tisch geworfen.

»Hören Sie, alter Knabe«, sagte Gatsby und beugte sich zu mir herüber, »ich fürchte, ich habe Sie heute Morgen im Auto ein wenig verärgert.«

Da war das Lächeln wieder, doch diesmal hielt ich ihm stand.

»Ich mag keine Geheimnisse«, antwortete ich, »und ich verstehe nicht, weshalb Sie mir nicht einfach freiheraus sagen, was Sie von mir wollen. Warum muss das Ganze über Miss Baker laufen?«

»Oh, es ist nichts Halbseidenes«, versicherte er mir. »Miss Baker ist eine große Sportlerin, wie Sie wissen, und sie würde niemals etwas Unrechtes tun.«

Plötzlich schaute er auf die Uhr, sprang auf und verließ eilig den Raum, sodass ich mit Mr Wolfshiem am Tisch allein blieb.

»Er muss telefonieren«, sagte Mr Wolfshiem und folgte ihm mit den Augen. »Feiner Kerl, was? Hübsch anzusehn und ein echter Gentleman.«

»Ja.«

»Er war in Oggsford.«

»Oh!«

»Hat am Oggsford College studiert, in England. Sie kennen das Oggsford College?«

»Ich habe davon gehört.«

»Ist eins der berühmtesten Colleges der Welt.«

»Kennen Sie Gatsby schon lange?«, fragte ich.

»Ein paar Jahre«, antwortete er mit einiger Genugtuung. »Gleich nach dem Krieg hatte ich das Vergnügen, seine Bekanntschaft zu machen. Ich hab mich eine Stunde lang mit ihm unterhalten, und schon war mir klar, hier hatte ich einen Mann mit guten Manieren vor mir. Ich sagte mir: ›Das ist die Art von Mann, die du gern mit nach Hause nehmen und deiner Mutter und deiner Schwester vorstellen würdest.‹« Er hielt inne. »Wie ich sehe, betrachten Sie meine Manschettenknöpfe.«

Ich hatte sie nicht betrachtet, aber jetzt tat ich es. Sie bestanden aus seltsam vertraut wirkenden Elfenbeinstücken.

»Allerfeinste menschliche Backenzähne«, klärte er mich auf.

»So!« Ich sah sie mir genauer an. »Eine sehr interessante Idee.«

»Japp.« Er ließ seine Jackenärmel über die Manschetten gleiten. »Japp, Gatsby ist ziemlich penibel, was Frauen angeht. Die Frau eines Freundes würde er nicht mal anschauen.«

Als das Objekt solch instinktiven Vertrauens an den Tisch zurückkehrte und sich setzte, trank Mr Wolfshiem ruckartig seinen Kaffee aus und erhob sich.

»Das Essen war mir ein Vergnügen«, sagte er, »und jetzt lasse ich euch zwei junge Männer mal zügig allein, bevor ich noch länger bleibe, als ich willkommen bin.«

»Nur keine Eile, Meyer«, sagte Gatsby ohne besonderen Nachdruck. Mr Wolfshiem hob seine Hand zu einer Art Segnung.

»Das ist überaus höflich, aber ich gehöre zu einer anderen Generation«, verkündete er feierlich. »Ihr bleibt schön hier sitzen und redet über euren Sport und eure jungen Damen und euer …« Mit einem neuerlichen Wink seiner Hand fügte er ein gedachtes Hauptwort hinzu. »Ich dagegen bin fünfzig Jahre alt, und ich will euch nicht länger zur Last fallen.«

Als er uns die Hand schüttelte und sich abwandte, zitterte seine tragische Nase. Ich fragte mich, ob ich etwas gesagt hatte, das ihn gekränkt haben könnte.

»Er wird manchmal reichlich sentimental«, erklärte Gatsby. »Heute ist einer seiner sentimentalen Tage. In New York ist er ein echtes Original – Stammgast am Broadway.«

»Was ist er überhaupt, Schauspieler?«

»Nein.«

»Zahnarzt?«

»Meyer Wolfshiem? Nein, er ist ein Spieler.« Gatsby zögerte, dann fügte er kühl hinzu: »Er ist der Mann, der neunzehnneunzehn die World's Series manipuliert hat.«

»Die World's Series manipuliert?«, wiederholte ich.

Der Gedanke machte mich sprachlos. Ich erinnerte mich natürlich daran, dass die World's Series 1919 manipuliert worden war, aber wenn ich überhaupt je darüber nachgedacht hätte, hätte ich wohl angenommen, dass die Sache einfach *passiert* war, das Ende irgendeiner unvermeidlichen Ereigniskette. Mir war nie in den Sinn gekommen, dass ein einzelner Mann mit dem Vertrauen von fünfzig Millionen Menschen spielen könnte – zielstrebig wie ein Einbrecher, der einen Safe sprengt.

»Wieso hat er das getan?«, fragte ich nach einer Weile.

»Er sah einfach die Gelegenheit.«

»Warum ist nicht er im Gefängnis?«

»Sie kriegen ihn nicht, alter Knabe. Er ist ein cleverer Bursche.«

Ich bestand darauf, die Rechnung zu übernehmen. Als mir der Kellner mein Wechselgeld brachte, entdeckte ich Tom Buchanan auf der anderen Seite des überfüllten Gastraums.

»Begleiten Sie mich kurz«, sagte ich, »ich muss jemandem Guten Tag sagen.«

Als er uns sah, sprang Tom auf und kam uns ein paar Schritte entgegen.

»Wo steckst du die ganze Zeit?«, fragte er aufgeregt. »Daisy ist außer sich, weil du dich nicht blicken lässt.«

»Das ist Mr Gatsby – Mr Buchanan.«

Sie gaben sich kurz die Hand, und ein gequälter, ungewohnter Ausdruck von Verlegenheit schlich über Gatsbys Gesicht.

»Wie geht's dir denn immer?«, wollte Tom von mir wissen. »Wieso fährst du zum Essen so weit raus in die Stadt?«

»Ich habe mit Mr Gatsby zu Mittag gegessen.«

Ich drehte mich nach Mr Gatsby um, doch er war nicht mehr da.

An einem Oktobertag neunzehnsiebzehn –

(sagte Jordan Baker an jenem Nachmittag, während sie sehr aufrecht auf einem aufrechten Stuhl im Teegarten des Plaza Hotels saß)

– war ich irgendwohin unterwegs, lief halb auf dem Gehweg

und halb auf dem Rasen. Ich ging lieber auf dem Rasen, weil ich Schuhe aus England trug mit Gumminoppen an den Sohlen, die sich in den weichen Boden gruben. Außerdem trug ich einen neuen karierten Rock, der sich ein wenig im Wind blähte, und wann immer das passierte, strafften sich die rot-weiß-blauen Fahnen vor den Häusern und machten missbilligend *ts-ts-ts-ts*.

Die größte Fahne und der größte Rasen gehörten zu Daisy Fays Haus. Sie war gerade achtzehn, zwei Jahre älter als ich und das bei Weitem beliebteste aller jungen Mädchen in Louisville. Sie kleidete sich in Weiß und hatte einen kleinen weißen Roadster, und den ganzen Tag über klingelte in ihrem Haus das Telefon und aufgeregte junge Offiziere vom Camp Taylor warben um das Vorrecht, sie an diesem Abend ganz für sich allein zu haben. »Wenigstens für eine Stunde!«

Als ich an jenem Morgen an ihrem Haus vorbeikam, stand ihr weißer Roadster am Bordstein, und sie saß mit einem Leutnant darin, den ich noch nie gesehen hatte. Die beiden waren voneinander so in Anspruch genommen, dass Daisy mich erst bemerkte, als ich auf fünf Fuß heran war.

»Hallo, Jordan!«, rief sie unerwartet. »Komm doch mal her, bitte.«

Ich war geschmeichelt, dass sie mit mir sprechen wollte, denn von allen älteren Mädchen bewunderte ich sie am meisten. Sie fragte mich, ob ich auf dem Weg zum Roten Kreuz sei, um Verbände zu machen. War ich. Schön, würde ich dort dann wohl ausrichten, dass sie heute nicht kommen kann? Während Daisy sprach, schaute der Offizier sie an, auf eine Art, wie jedes junge Mädchen einmal angeschaut werden möchte, und weil die Szene mir so romantisch erschien, habe ich sie nie vergessen. Sein

Name war Jay Gatsby, und ich sah ihn danach über vier Jahre nicht wieder – sogar nachdem ich ihn auf Long Island getroffen hatte, merkte ich nicht, dass es derselbe Mann war.

Das war neunzehnsiebzehn. Im Jahr darauf hatte ich selbst ein paar Kavaliere und fing an, Turniere zu spielen, und so sah ich Daisy nur selten. Sie war mit etwas älteren Leuten verbandelt – wenn sie überhaupt mit jemandem anbandelte. Wilde Gerüchte waren über sie im Umlauf – dass ihre Mutter sie in einer Winternacht dabei ertappt hatte, wie sie ihre Tasche packte, um nach New York zu fahren und einem Soldaten Lebwohl zu sagen, der sich nach Übersee aufmachte. Das wusste man zwar erfolgreich zu verhindern, doch sie sprach mehrere Wochen lang kein Wort mehr mit ihrer Familie. Danach ließ sie sich mit keinem Soldaten mehr ein, sondern bloß noch mit ein paar plattfüßigen, kurzsichtigen jungen Männern aus der Stadt, die für den Militärdienst niemals infrage kamen.

Im folgenden Herbst war sie wieder fröhlich, so fröhlich wie eh und je. Nach dem Waffenstillstand wurde sie in die Gesellschaft eingeführt, und im Februar verlobte sie sich, so hörte man, mit einem Mann aus New Orleans. Im Juni heiratete sie Tom Buchanan aus Chicago, mit einem Aufwand und Pomp, den Louisville noch nie erlebt hatte. Er kam mit hundert Leuten in vier privaten Eisenbahnwagen herüber und mietete eine ganze Etage im Muhlbach Hotel, und am Tag vor der Hochzeit schenkte er ihr eine Perlenkette im Wert von dreihundertfünfzigtausend Dollar.

Ich war Brautjungfer. Eine halbe Stunde vor dem Hochzeitsdiner ging ich zu ihr ins Zimmer und fand sie in ihrem geblümten Kleid auf dem Bett liegend, schön wie die Juninacht –

und sternhagelvoll. In der einen Hand hielt sie eine Flasche Sauterne und in der anderen einen Brief.

»Kanns mir gratuliern«, murmelte sie. »Hab noch nie was getrunkn, aber herrje, ich find's fabelhaft.«

»Was ist los, Daisy?«

Ich hatte Angst, sage ich Ihnen; nie zuvor hatte ich ein Mädchen in einem solchen Zustand gesehen.

»Hier, Süße.« Sie wühlte in einem Papierkorb, den sie bei sich im Bett hatte, und zog die Perlenkette heraus. »Nimm's mit nach untn und gib's irgendwem wieder, dem's gehört. Sag alln, Daisy hat sich's umüberlegt. Sag: ›Daisy hat sich's umüberlegt!‹«

Sie fing an zu weinen – sie weinte und weinte. Ich stürzte hinaus und fand das Dienstmädchen ihrer Mutter, und wir schlossen die Tür ab und steckten sie in ein kaltes Bad. Sie wollte den Brief nicht loslassen. Sie nahm ihn mit in die Wanne und drückte ihn zu einer nassen Kugel zusammen und ließ mich ihn erst in die Seifenschale legen, als sie sah, dass er zerging wie Schnee.

Aber sie sagte kein Wort mehr. Wir gaben ihr Salmiakgeist, legten ihr Eis auf die Stirn und zwängten sie wieder in ihr Kleid, und als wir eine halbe Stunde später das Zimmer verließen, trug sie die Perlen um ihren Hals und der Zwischenfall war vorüber. Am nächsten Tag um fünf Uhr heiratete sie Tom Buchanan, ohne auch nur mit der Wimper zu zucken, und ging mit ihm auf eine dreimonatige Reise in die Südsee.

Nach ihrer Rückkehr traf ich die beiden in Santa Barbara, und ich dachte, dass ich nie zuvor ein Mädchen gesehen hatte, das so verrückt nach ihrem Mann war wie sie. Er brauchte nur für eine Minute den Raum zu verlassen, schon schaute sie sich unruhig um und fragte: »Wo ist Tom?«, und wirkte völlig geistesabwesend, bis sie ihn wieder zur Tür hereinkommen sah. Sie saß oft stundenlang im Sand mit seinem Kopf in ihrem Schoß, strich ihm mit ihren Fingern über die Augen und betrachtete ihn mit unergründlicher Wonne. Es war rührend, die beiden zusammen zu sehen – es rang einem ein stilles, fasziniertes Lachen ab. Das war im August. Eine Woche nachdem ich Santa Barbara verlassen hatte, stieß Tom nachts auf der Ventura Road mit einem Lieferwagen zusammen und verlor dabei eins seiner Vorderräder. Das Mädchen, das bei ihm war, kam ebenfalls in die Zeitung, weil sie sich den Arm gebrochen hatte – sie war eins der Zimmermädchen aus dem Santa Barbara Hotel.

Im April des folgenden Jahres bekam Daisy ihre kleine Tochter, und sie gingen für ein Jahr nach Frankreich. Ich traf sie im Frühjahr in Cannes und später in Deauville, und dann kamen sie zurück nach Chicago, um sich dort niederzulassen. Daisy war beliebt in Chicago, wie Sie wissen. Die beiden bewegten sich unter leichtlebigen Leuten, allesamt jung und reich und wild, Daisys Ruf aber hatte danach nicht den kleinsten Kratzer. Vielleicht weil sie nichts trinkt. Es ist ein großer Vorteil, unter heftigen Trinkern nichts zu trinken. Man kann seine Zunge im Zaum halten, und außerdem kann man sich mit den eigenen kleinen Verfehlungen so lange Zeit lassen, bis alle anderen dermaßen blind sind, dass sie es entweder nicht bemerken oder sich nicht darum scheren. Vielleicht ließ Daisy sich auch auf keinerlei Liebschaften ein – und doch gibt es da etwas in ihrer Stimme …

Nun, vor ungefähr sechs Wochen hörte sie den Namen Gatsby nach Jahren zum ersten Mal wieder. Damals fragte ich Sie – erinnern Sie sich? –, ob Sie in West Egg einen Gatsby kennen.

Nachdem Sie gegangen waren, kam sie zu mir ins Zimmer, weckte mich und fragte: »Welcher Gatsby?«, und als ich ihn ihr beschrieb – ich schlief noch halb –, sagte sie mit ganz seltsamer Stimme, dass es derselbe sein müsse, den sie früher gekannt hatte. Erst in diesem Moment verband ich diesen Gatsby mit dem Offizier in ihrem weißen Auto.

Als Jordan Baker am Ende ihrer Geschichte angelangt war, hatten wir das Plaza seit einer halben Stunde verlassen und fuhren in einer Victoria-Kutsche durch den Central Park. Die Sonne war hinter den hohen Apartmenthäusern der Filmstars in den westlichen Fünfzigerstraßen untergegangen, und die klaren Stimmen von Kindern, die sich wie Grillen bereits auf dem Gras versammelt hatten, stiegen durch das heiße Dämmerlicht auf:

»I'm the Sheik of Araby.
Your love belongs to me.
At night when you're asleep
Into your tent I'll creep …«

»Das war ein merkwürdiger Zufall«, sagte ich.
»Aber es war ja gar kein Zufall.«
»Wieso nicht?«
»Gatsby hat dieses Haus gekauft, damit Daisy gleich auf der anderen Seite der Bucht wohnt.«
Dann waren es also nicht nur die Sterne gewesen, nach denen er in jener Juninacht gegriffen hatte. Jetzt war er lebendig für mich, plötzlich entbunden aus dem Schoß seiner sinnlosen Großartigkeit.

»Er möchte wissen«, fuhr Jordan fort, »ob Sie Daisy einmal nachmittags zu sich nach Hause einladen und ihm erlauben würden herüberzukommen.«

Die Bescheidenheit dieser Bitte erschütterte mich. Er hatte fünf Jahre gewartet und ein Anwesen gekauft, auf dem er Sternenlicht über schwärmenden Nachtfaltern ausgoss – nur um einmal nachmittags in den Garten eines Fremden »herüberkommen« zu können.

»Musste ich erst all das erfahren, bevor er mich um eine solche Kleinigkeit bitten konnte?«

»Er hat Angst; er hat so lange gewartet. Er dachte, Sie könnten vielleicht beleidigt sein. Wissen Sie, im Grunde ist er einfach ein zäher Bursche.«

Irgendetwas gefiel mir nicht.

»Warum hat er nicht Sie gebeten, ein Treffen zu arrangieren?«

»Er möchte, dass sie sein Haus sieht«, erklärte sie. »Und Ihr Haus ist gleich nebenan.«

»Oh!«

»Ich glaube, er hat ein bisschen darauf spekuliert, dass sie eines Nachts einfach auf einer seiner Partys auftaucht«, fuhr Jordan fort, »aber das tat sie nicht. Dann fing er an, Leute beiläufig zu fragen, ob sie sie kannten, und ich war die Erste, bei der er Glück hatte. Das war an jenem Abend, als er beim Tanz nach mir schickte, und Sie hätten mal hören sollen, wie umständlich er mit der Sache herausrückte. Natürlich schlug ich sofort ein Mittagessen in New York vor – daraufhin schien er mir förmlich durchzudrehen:

›Ich will kein Arrangement irgendwo anders!‹, sagte er immer wieder. ›Ich will mich gleich hier nebenan mit ihr treffen.‹

Als ich ihm sagte, Sie seien ein guter Freund von Tom, wollte er die ganze Idee schon fallen lassen. Er weiß nicht besonders viel über Tom, obwohl er angeblich jahrelang eine Chicagoer Zeitung gelesen hat, nur um darin vielleicht einmal auf Daisys Namen zu stoßen.«

Es war inzwischen dunkel geworden, und als wir unter einer kleinen Brücke hindurchtauchten, legte ich meinen Arm um Jordans goldene Schulter, zog sie zu mir heran und bat sie, mit mir zu Abend zu essen. Plötzlich dachte ich nicht mehr an Daisy und Gatsby, sondern an diese saubere, harte, begrenzte Person, die alles und jeden mit Skepsis betrachtete und die sich nun unbekümmert in meine Armbeuge lehnte. Ein Satz klang pulsierend in meinen Ohren mit fast berauschender Heftigkeit: »Es gibt nur die Gejagten, die Jäger, die Tätigen und die Müden.«

»Und Daisy sollte doch auch etwas von ihrem Leben haben«, raunte Jordan mir zu.

»Möchte sie Gatsby sehen?«

»Sie wird gar nichts davon wissen. Gatsby möchte nicht, dass sie es weiß. Sie sollen sie einfach zum Tee einladen.«

Wir passierten eine Barriere dunkler Bäume, dann strahlten die Fassaden der Neunundfünfzigsten Straße, ein Block aus zartem, blassem Licht, in den Park hinab. Anders als Gatsby und Tom Buchanan hatte ich kein Mädchen, dessen körperloses Gesicht an den dunklen Gesimsen und gleißenden Schildern entlangschwebte, und so schloss ich das Mädchen neben mir fester in meine Arme. Ihr fahler, höhnischer Mund lächelte, und so zog ich sie noch einmal dichter heran, dieses Mal an mein Gesicht.

KAPITEL 5

Als ich in jener Nacht nach West Egg zurückkam, fürchtete ich für einen Moment, mein Haus stehe in Flammen. Zwei Uhr früh, und die gesamte Spitze der Halbinsel erstrahlte in grellem Licht, das unwirklich auf Büsche und Sträucher fiel und sich als dünne schimmernde Linien auf die Telegrafendrähte am Straßenrand legte. Ich bog um eine Ecke und sah, dass es Gatsbys Haus war, hell erleuchtet vom Turm bis zum Keller.

Zuerst glaubte ich, es handele sich um eine seiner Partys, eine ausgelassene Abendgesellschaft, die darauf verfallen war, »Verstecken« oder »Sardinenbüchse« zu spielen, und das ganze Haus zum Spielplatz erkoren hatte. Doch kein Laut war zu hören. Nur der Wind in den Bäumen, der in die Drähte blies und die Lichter aus- und wieder angehen ließ, als hätte das Haus in die Dunkelheit geblinzelt. Als mein Taxi ächzend davonfuhr, sah ich Gatsby über seinen Rasen auf mich zukommen.

»Bei Ihnen sieht es aus wie auf der Weltausstellung«, sagte ich.

»Tatsächlich?« Er blickte sich abwesend nach seinem Haus um. »Ich habe nur kurz in ein paar Zimmer hineingeschaut. Lassen Sie uns nach Coney Island fahren, alter Knabe. Mit meinem Auto.«

»Es ist zu spät.«

»Gut, wie wär's dann mit einem Sprung in den Swimming-pool? Ich habe ihn den ganzen Sommer nicht benutzt.«

»Ich muss ins Bett.«

»Na schön.«

Er wartete und betrachtete mich mit mühsam zurückgehal-tener Neugier.

»Ich habe mit Miss Baker gesprochen«, sagte ich nach einem Moment. »Ich werde Daisy morgen anrufen und sie zum Tee einladen.«

»Oh, schon in Ordnung«, sagte er leichthin. »Ich möchte Ihnen keine Umstände machen.«

»Welcher Tag würde Ihnen passen?«

»Welcher Tag würde *Ihnen* passen?«, berichtigte er mich rasch. »Wirklich, ich möchte Ihnen keine Umstände machen.«

»Wie wär's mit übermorgen?«

Er überlegte einen Augenblick. Dann, widerstrebend:

»Ich möchte noch den Rasen mähen lassen«, sagte er.

Wir schauten beide hinunter auf das Gras – eine scharfe Trennlinie verlief dort, wo mein verwildertes Stückchen Wiese endete und der dunklere, gepflegte Rasen seines Grundstücks begann. Ich hegte den Verdacht, dass er mein Gras meinte.

»Da ist noch eine Kleinigkeit«, sagte er unsicher und zögerte.

»Möchten Sie es lieber um ein paar Tage verschieben?«, fragte ich.

»Oh, darum geht es nicht. Zumindest …« Er hantierte mit einer Reihe von Satzanfängen. »Also, ich dachte … na ja, schauen Sie, alter Knabe, Sie verdienen nicht sonderlich viel, oder?«

»Nicht sonderlich.«

Das schien ihn zu beruhigen, und er sprach etwas selbstsicherer weiter.

»Das dachte ich mir schon, wenn Sie mir nachsehen, dass ich … wissen Sie, ich betreibe noch ein kleines Geschäft nebenbei, eine Art Nebengewerbe, Sie verstehen. Und ich dachte mir, da Sie ja nicht sonderlich viel … Sie verkaufen doch Aktien, nicht wahr, alter Knabe?«

»Ich versuch's.«

»Nun, dann dürfte die Sache Sie interessieren. Es würde Sie nicht viel Zeit kosten und Sie könnten ein hübsches Sümmchen einstreichen. Das Ganze ist eine ziemlich vertrauliche Angelegenheit.«

Heute ist mir klar, dass dieses Gespräch unter anderen Vorzeichen ein Wendepunkt meines Lebens hätte sein können. Doch da das Angebot ganz offensichtlich und taktlos die Gegenleistung für eine Gefälligkeit darstellte, hatte ich keine andere Wahl, als ihn an dieser Stelle zu unterbrechen.

»Ich habe alle Hände voll zu tun«, sagte ich. »Sehr nett von Ihnen, aber ich kann keinerlei Arbeit mehr annehmen.«

»Bei diesem Geschäft hätten Sie nichts mit Wolfshiem zu tun.« Offenbar dachte er, ich schrecke vor den beim Mittagessen erwähnten »Gondagden« zurück, aber ich versicherte ihm, dass er falsch lag. Er blieb noch einen Moment stehen, in der Hoffnung, ich würde eine Unterhaltung beginnen, aber ich war zu sehr in Gedanken, um mich darauf einzulassen, und so ging er widerwillig nach Hause.

Der Abend hatte mich benommen und glücklich gemacht; vermutlich bewegte ich mich schon im Tiefschlaf, als ich durch meine Haustür trat. Daher weiß ich nicht, ob Gatsby tatsächlich nach Coney Island fuhr oder wie viele Stunden lang er noch

»kurz in Zimmer hineinschaute«, während sein Haus weiter lichterloh strahlte. Ich rief Daisy am nächsten Morgen vom Büro aus an und lud sie zum Tee ein.

»Komm ohne Tom«, ermahnte ich sie.

»Was?«

»Komm ohne Tom.«

»Wer ist ›Tom‹?«, fragte sie unschuldig.

Am vereinbarten Tag regnete es in Strömen. Um elf Uhr klopfte ein Mann im Regenmantel, der einen Rasenmäher hinter sich herzog, an meine Haustür und sagte, Mr Gatsby habe ihn geschickt, um meinen Rasen zu mähen. Da fiel mir ein, dass ich vergessen hatte, meiner Finnin zu sagen, sie solle am Nachmittag wiederkommen, also fuhr ich nach West Egg Village, um in den aufgeweichten, weiß getünchten Gassen nach ihr zu suchen und ein paar Tassen und Zitronen und Blumen zu kaufen.

Die Blumen waren überflüssig, denn um zwei Uhr schickte Gatsby ein ganzes Gewächshaus herüber nebst unzähligen Gefäßen, die es aufnehmen sollten. Eine Stunde später öffnete sich fahrig die Haustür und Gatsby stürmte herein, im weißen Flanellanzug, silbernen Hemd und mit goldener Krawatte. Er war blass, und unter seinen Augen zeigten sich dunkle Spuren der Schlaflosigkeit.

»Alles in Ordnung?«, erkundigte er sich im Hereinkommen.

»Der Rasen sieht gut aus, falls Sie das meinen.«

»Welcher Rasen?«, fragte er verständnislos. »Oh, der Rasen im Garten.« Er schaute aus dem Fenster, doch seinem Gesichtsausdruck nach zu urteilen glaube ich nicht, dass er überhaupt etwas sah.

»Sieht sehr gut aus«, bemerkte er geistesabwesend. »In einer der Zeitungen sagen sie, der Regen werde vermutlich gegen vier aufhören. Ich glaube, es war *The Journal.* Haben Sie alles, was Sie brauchen für solch einen – einen Tee?«

Ich führte ihn in den Anrichteraum, wo er einen leicht tadelnden Blick auf die Finnin warf. Zusammen begutachteten wir die zwölf Zitronentörtchen aus dem Delikatessengeschäft.

»Ist das genehm?«, fragte ich.

»Bestens, bestens! Ausgezeichnet!«, und hohl tönend fügte er hinzu: »… alter Knabe.«

Gegen halb vier verebbte der Regen zu einem feuchten Nebel, durch den gelegentlich feine Tropfen schwammen wie Tau. Gatsby blätterte mit leerem Blick in einer Ausgabe von Clays *Economics*, zuckte zusammen, wenn ein finnischer Schritt den Küchenboden erschütterte, und spähte von Zeit zu Zeit zu den trüben Fenstern hinüber, als ereignete sich dort draußen eine Reihe unsichtbarer, aber Besorgnis erregender Vorfälle. Schließlich erhob er sich und teilte mir mit unsicherer Stimme mit, er gehe jetzt nach Hause.

»Warum das?«

»Weil niemand zum Tee kommt. Es ist zu spät!« Er schaute auf seine Uhr, als stünde er wegen dringender Angelegenheiten andernorts unter Zeitdruck. »Ich kann nicht den ganzen Tag warten.«

»Seien Sie nicht albern; es ist erst zwei Minuten vor vier.«

Er setzte sich gequält wieder hin, als hätte ich ihn dazu gedrängt, und im selben Moment schallte das Geräusch eines Motors in meine Auffahrt. Wir sprangen beide auf, und nun selbst ein wenig angespannt, ging ich hinaus in den Garten.

Unter den tropfenden, kahlen Fliederbäumen kam ein großer offener Wagen den Weg herauf. Er hielt. Daisys Gesicht neigte sich seitwärts unter einem dreieckigen lavendelfarbenen Hut und schaute mir mit strahlendem, verzücktem Lächeln entgegen.

»Ist das wahrhaftig der Ort, wo du wohnst, mein liebster Schatz?«

Das belebende Plätschern ihrer Stimme war in dem Regen ein fremdartiges Tonikum. Für einen Moment folgte ich ihrem Klang, den Höhen und Tiefen allein mit dem Ohr, ehe die Wörter zu mir durchdrangen. Eine feuchte Haarsträhne lag wie ein Strich blauer Farbe auf ihrer Wange, und ihre Hand war nass von glitzernden Tropfen, als ich danach griff, um ihr aus dem Wagen zu helfen.

»Bist du in mich verliebt«, sagte sie mir leise ins Ohr, »oder warum musste ich allein kommen?«

»Das ist das Geheimnis von Schloss Rackrent. Sag deinem Fahrer, er soll sich verziehen und eine Stunde wegbleiben.«

»Kommen Sie in einer Stunde zurück, Ferdie.« Dann mit gravitätischem Raunen: »Sein Name ist Ferdie.«

»Greift das Benzin seine Nase an?«

»Ich glaube nicht«, sagte sie arglos. »Wieso?«

Wir gingen hinein. Zu meiner grenzenlosen Überraschung war das Wohnzimmer verlassen.

»Na, also das ist komisch!«, rief ich aus.

»Was ist komisch?«

Sie wandte den Kopf, denn an der Haustür war ein leises, höfliches Klopfen zu hören. Ich ging hinaus und öffnete. Totenbleich, die Hände wie Gewichte in den Jackentaschen vergraben, stand Gatsby in einer Wasserpfütze und sah mir mit tragischem Blick in die Augen.

Die Hände noch immer in den Jackentaschen, stakste er an

mir vorbei in die Diele, bog wie ferngesteuert jäh um die Ecke und verschwand im Wohnzimmer. Es war kein bisschen komisch. Ich fühlte mein Herz kräftig schlagen und schloss die Tür gegen den stärker werdenden Regen.

Eine halbe Minute lang war es vollkommen still. Dann hörte ich aus dem Wohnzimmer eine Art ersticktes Gemurmel und ein Stück eines Lachens, gefolgt von Daisys hell und künstlich klingender Stimme:

»Ich bin wirklich wahnsinnig froh, dich wiederzusehen.«

Eine Pause; sie dauerte entsetzlich lange. In der Diele hatte ich nichts zu tun, also ging ich ins Zimmer.

Gatsby lehnte, die Hände nach wie vor in den Taschen, am Kaminsims und simulierte krampfhaft völlige Gelassenheit, ja sogar Langeweile. Seinen Kopf hatte er so weit in den Nacken gelegt, dass er auf dem Zifferblatt einer kaputten alten Kaminuhr ruhte, und von dort aus starrte er mit unruhigem Blick auf Daisy hinab, die ängstlich, aber anmutig auf der Kante eines harten Stuhls saß.

»Wir kennen uns von früher«, murmelte Gatsby. Sein Blick streifte mich flüchtig, und sein Mund öffnete sich im misslungenen Versuch eines Lachens. Glücklicherweise geriet die Uhr just in diesem Moment unter dem Druck seines Kopfes gefährlich ins Wanken, worauf er sich umdrehte, sie mit zittrigen Fingern auffing und wieder an ihren Platz stellte. Dann setzte er sich steif auf das Sofa, den Ellbogen auf die Lehne und das Kinn in die Hand gestützt.

»Das mit der Uhr tut mir leid«, sagte er.

Mein Gesicht glühte inzwischen wie nach einem tiefen tropischen Sonnenbrand. Von den tausend Gemeinplätzen in meinem Kopf wollte mir nicht ein einziger einfallen.

»Ist eine alte Uhr«, erklärte ich ihnen blödsinnigerweise.

Ich glaube, einen Moment lang waren wir alle davon überzeugt, sie sei auf dem Boden in Stücke zersprungen.

»Wir haben uns viele Jahre nicht gesehen«, sagte Daisy, ihre Stimme so nüchtern wie irgend möglich.

»Fünf Jahre nächsten November.«

Gatsbys Antwort kam so automatisch, dass sie uns für mindestens eine weitere Minute außer Gefecht setzte. Mit dem verzweifelten Vorschlag, mir in der Küche beim Teekochen zu helfen, hatte ich die beiden gerade zum Aufstehen gebracht, da trug die teuflische Finnin ihn auf einem Tablett schon herein.

In dem willkommenen Durcheinander von Tassen und Törtchen trat eine gewisse äußere Entspannung ein. Gatsby hielt sich im Halbdunkel, und während Daisy und ich uns unterhielten, wanderten seine ruhelosen, unglücklichen Augen aufmerksam zwischen uns hin und her. Da allerdings solches Stillschweigen nicht Sinn der Sache war, entschuldigte ich mich bei der erstbesten Gelegenheit und stand auf.

»Wo gehen Sie hin?«, fragte Gatsby in plötzlicher Unruhe.

»Bin gleich wieder da.«

»Ich muss mit Ihnen über etwas sprechen, bevor Sie gehen.«

Er folgte mir aufgewühlt in die Küche, schloss die Tür und flüsterte kläglich: »O Gott!«

»Was ist los?«

»Das Ganze ist ein schrecklicher Fehler«, sagte er und schüttelte dabei heftig den Kopf, »ein schrecklicher, schrecklicher Fehler.«

»Sie sind bloß verlegen, weiter nichts«, und glücklicherweise fügte ich hinzu: »Daisy ist auch verlegen.«

»Sie ist verlegen?«, wiederholte er ungläubig.

»So sehr wie Sie.«

»Sprechen Sie nicht so laut.«

»Sie führen sich auf wie ein kleiner Junge«, herrschte ich ihn ungeduldig an. »Und nicht nur das, Sie sind auch noch unhöflich. Daisy sitzt dort drinnen ganz allein.«

Er hob die Hand, um mir das Wort abzuschneiden, und warf mir einen unvergesslich vorwurfsvollen Blick zu, dann öffnete er behutsam die Tür und ging zurück ins andere Zimmer.

Ich nahm den Hinterausgang – so wie Gatsby eine halbe Stunde zuvor, als er seine nervöse Runde ums Haus gedreht hatte – und lief hinüber zu einem mächtigen schwarzen knotigen Baum, dessen dichtes Blätterdach Schutz vor dem Regen bot. Inzwischen schüttete es wieder, und mein unebener Rasen, von Gatsbys Gärtner ordentlich gestutzt, war übersät mit kleinen, schlammigen Sümpfen und prähistorischem Morast. Von meinem Platz unter dem Baum aus gab es nichts weiter zu sehen als Gatsbys riesiges Haus, also starrte ich es eine halbe Stunde lang an wie Kant seinen Kirchturm. Ein Bierbrauer hatte es vor einem Jahrzehnt in der Frühzeit der »Stiltreue«-Manie errichtet, und man erzählte sich, er habe angeboten, fünf Jahre lang die Steuern für alle benachbarten Landhäuser zu zahlen, wenn die Besitzer ihre Dächer mit Stroh decken ließen. Vielleicht war es ihre Weigerung, die seinen Plan vereitelte, Gründer eines ganzen Geschlechts zu werden – es ging schlagartig mit ihm bergab. Als seine Kinder das Haus verkauften, hing der schwarze Kranz noch an der Tür. Amerikaner begeben sich zwar willfährig, vielleicht sogar mit Eifer in Leibeigenschaft, aber der Bauernstand ist ihnen von jeher ein Graus.

Nach einer halben Stunde schien wieder die Sonne, und das Automobil des Lebensmittelhändlers bog in Gatsbys Auffahrt und brachte die Zutaten für das Abendessen seiner Bediensteten – ich war sicher, er selbst würde keinen Bissen anrühren. Ein Zimmermädchen begann, die oberen Fenster seines Hauses zu öffnen, tauchte in jedem kurz auf, lehnte sich dann aus dem großen zentralen Erkerfenster und spuckte gedankenverloren in den Garten. Für mich war es Zeit zurückzugehen. Solange der Regen fiel, hatte er wie das Gemurmel ihrer Stimmen geklungen, das im Überschwang der Emotionen dann und wann leise anstieg und anschwoll. Doch in der nun herrschenden Stille schien mir, dass im Haus ebenfalls Stille eingekehrt war.

Ich ging hinein – machte zuvor noch allen erdenklichen Lärm in der Küche, immerhin ohne den Herd umzustoßen –, aber sie hatten wohl nicht das Geringste gehört. Sie saßen jeder an einem Ende der Couch, sahen sich an, als ob irgendeine Frage gestellt worden sei oder in der Luft liege, und auch der letzte Rest von Verlegenheit war verschwunden. Daisys Gesicht war tränenverschmiert, und als ich hereinkam, sprang sie auf und fing an, vor einem Spiegel mit ihrem Taschentuch daran herumzuwischen. Mit Gatsby jedoch hatte sich eine schlichtweg verblüffende Wandlung vollzogen. Er glühte förmlich; ohne ein Wort oder eine Geste des Hochgefühls strahlte er ein neues Wohlbehagen aus, das den kleinen Raum ausfüllte.

»Oh, hallo, alter Knabe«, sagte er, als hätte er mich jahrelang nicht gesehen. Für einen Augenblick dachte ich, er wolle mir die Hand schütteln.

»Der Regen hat aufgehört.«

»Wirklich?« Als ihm klar wurde, wovon ich sprach, dass der Sonnenschein helle Inseln ins Zimmer warf, lächelte er wie ein Wetterprophet, wie ein ekstatischer Schutzheiliger des wiederkehrenden Lichts und wiederholte die Nachricht für Daisy. »Was sagst du dazu? Der Regen hat aufgehört.«

»Ich bin froh, Jay.« Aus ihrer Kehle, voll schmerzlicher, bekümmerter Schönheit, drang einzig der Klang ihrer unerwarteten Freude.

»Ich möchte, dass Sie und Daisy zu mir herüberkommen«, sagte er, »ich würde ihr gern alles zeigen.«

»Wollen Sie mich wirklich dabeihaben?«

»Allerdings, alter Knabe.«

Daisy ging nach oben, um sich das Gesicht zu waschen – zu spät kam mir der beschämende Gedanke an meine Handtücher –, während Gatsby und ich auf dem Rasen warteten.

»Mein Haus sieht gut aus, nicht wahr?«, fragte er. »Schauen Sie nur, wie die ganze Fassade das Licht einfängt.«

Ich bestätigte ihm, es sei strahlend schön.

»Ja.« Sein Blick wanderte darüber hin, über jeden Türbogen und eckigen Turm. »Ich habe genau drei Jahre gebraucht, bis ich das Geld dafür zusammenhatte.«

»Ich dachte, Sie hätten Ihr Geld geerbt.«

»Hab ich auch, alter Knabe«, sagte er mechanisch, »aber das meiste davon habe ich in der großen Panik wieder verloren – der Panik des Krieges.«

Ich denke, er wusste kaum, was er redete, denn als ich ihn fragte, in welcher Branche er tätig sei, antwortete er: »Das ist meine Sache«, noch ehe ihm aufging, dass das keine passende Antwort war.

»Oh, ich habe so einige Sachen gemacht«, korrigierte er sich. »Ich war im Drugstoregeschäft, dann war ich im Ölgeschäft. Aber inzwischen bin ich in keinem von beiden.« Er betrachtete mich aufmerksamer. »Heißt das, Sie haben sich mein Angebot von neulich Nacht noch einmal durch den Kopf gehen lassen?«

Bevor ich antworten konnte, trat Daisy aus dem Haus und zwei Reihen Messingknöpfe an ihrem Kleid glänzten im Sonnenlicht.

»Die riesige Villa dort drüben?«, rief sie und zeigte mit dem Finger darauf.

»Gefällt sie dir?«

»Sie ist herrlich, aber ich begreife nicht, wie du da ganz allein wohnen kannst.«

»Ich sorge dafür, dass sie immer voller interessanter Leute ist, Tag und Nacht. Leute, die interessante Dinge tun. Berühmte Leute.«

Statt die Abkürzung am Sund entlang zu nehmen, gingen wir zur Straße hinunter und betraten das Anwesen durch das große Seitentor. Mit bezauberndem Flüstern bewunderte Daisy mal diese, mal jene Ansicht der herrschaftlichen Silhouette vor dem Himmel, bewunderte die Gartenanlagen, den funkelnden Duft der Jonquillen, den schaumigen Duft der Weißdorn- und Pflaumenblüten und den blassgoldenen Duft der Jelängerjelieber. Es war seltsam, am Fuß der marmornen Stufen zu stehen und keine leuchtenden Kleider zur Tür hinein- und herausflirren zu sehen, keinen Laut zu hören außer dem Vogelgesang in den Bäumen.

Und als wir im Innern durch Musikzimmer im Stil Marie Antoinettes und Salons im Stil der Restauration spazierten, wähnte ich hinter jeder Couch und jedem Tisch Gäste verborgen, die Anweisung hatten, sich atemlos still zu verhalten, bis wir wieder hinaus waren. Als Gatsby die Tür der »Merton-College-Bibliothek« ins Schloss zog, hätte ich schwören können, dass ich den eulenäugigen Mann in gespenstisches Lachen ausbrechen hörte.

Wir gingen nach oben, schlenderten durch stilecht einge-richtete Schlafzimmer, in rosen- und lavendelfarbene Seide gehüllt und leuchtend von frischen Blumen, durch Ankleide-zimmer und Billardzimmer und Badezimmer mit in den Bo-den eingelassenen Wannen – und platzten bei einem zerzausten Mann im Pyjama hinein, der auf dem Fußboden gymnastische Übungen machte. Es war Mr Klipspringer, der »Kostgänger«. Ich hatte ihn an jenem Morgen hungrig am Strand umherwan-dern sehen. Schließlich kamen wir in Gatsbys Privaträume, ein Schlafzimmer, ein Bad und ein Arbeitszimmer nach Entwürfen der Adam-Brüder, wo wir uns setzten und ein Glas eines Chart-reuse tranken, den er aus einem Wandschrank hervorholte.

Kein einziges Mal hatte er den Blick von Daisy gewandt, und ich denke, dass er alles in seinem Haus neu bewertete ge-messen an der Reaktion, die es ihren innig geliebten Augen entlockte. Manchmal auch starrte er wie benommen auf seine Besitztümer, als wäre in Daisys tatsächlicher und berückender Gegenwart keines länger real. Einmal wäre er fast eine Treppe hinuntergefallen.

Sein Schlafzimmer war von allen Räumen der schlichteste – abgesehen von einer Toilettengarnitur aus purem Mattgold, die seine Frisierkommode zierte. Daisy griff verzückt nach der Bürste und fuhr sich damit übers Haar, worauf Gatsby sich setz-te, seine Augen bedeckte und anfing zu lachen.

»Das ist einfach zu komisch, alter Knabe«, sagte er übermütig. »Ich kann gar nicht … Wenn ich versuche …«

Er hatte sichtlich zwei Gemütszustände durchschritten und stand nun auf der Schwelle zu einem dritten. Nach der

Verlegenheit und der blinden Freude überwältigte ihn nun die Verwunderung über ihre Gegenwart. Er war so lange von dem Gedanken daran erfüllt gewesen, hatte ihn regelrecht bis an sein Ende geträumt, hatte sozusagen mit zusammengebissenen Zähnen gewartet unter einem unvorstellbaren Höchstmaß an Spannung. Jetzt, in der Rückwirkung, entlud er sich wie ein überdrehtes Uhrwerk.

In der nächsten Minute hatte er sich wieder gefangen und öffnete für uns zwei gewaltige Einbauschränke, die seine gesammelten Anzüge, Hausmäntel und Krawatten enthielten sowie seine Hemden, die in Dutzendstapeln wie Ziegel übereinandergeschichtet waren.

»Ich habe jemanden in England, der für mich Kleidung kauft. Zu Beginn jeder Saison, im Frühjahr und Herbst, schickt er mir eine Auswahl von Sachen herüber.«

Er nahm einen Stapel Hemden heraus und fing an, sie eins nach dem andern vor uns hinzuwerfen, Hemden aus reinem Leinen und schwerer Seide und feinem Flanell, die sich im Fallen entfalteten und den Tisch mit einem vielfarbigen Durcheinander bedeckten. Während wir sie bewunderten, brachte er noch mehr, und der weiche üppige Haufen türmte sich immer höher – Hemden mit Streifen, Schnörkeln, Karos, in Korallenrot und Apfelgrün, Lavendel und blassem Orange mit Monogrammen in Indischblau. Plötzlich, mit einem gequälten Laut, vergrub Daisy ihren Kopf in den Hemden und begann stürmisch zu weinen.

»Es sind so wunderschöne Hemden«, schluchzte sie mit von den dicken Falten erstickter Stimme. »Das macht mich traurig, weil ich noch nie zuvor so – so wunderschöne Hemden gesehen habe.«

Nach dem Haus sollten wir uns das Grundstück und den Swimmingpool, das Wasserflugzeug und die Sommerblumen ansehen – doch draußen vor Gatsbys Fenster begann es wieder zu regnen, und so standen wir aufgereiht nebeneinander und schauten auf die geriffelte Oberfläche des Sunds.

»Wenn der Nebel nicht wäre, könnten wir auf der anderen Seite der Bucht dein Haus sehen«, sagte Gatsby. »Dort brennt immer die ganze Nacht über ein grünes Licht am Ende deines Piers.«

Daisy schob abrupt ihren Arm unter seinen, aber Gatsby schien noch in Gedanken versunken über das, was er gerade gesagt hatte. Möglicherweise war ihm aufgegangen, dass die ungeheure Bedeutung dieses Lichts jetzt für alle Zeiten dahin war. Verglichen mit der großen Entfernung, die ihn von Daisy getrennt hatte, war es ihr scheinbar ganz nah gewesen, hatte sie fast berührt. Es schien ihr so nah zu sein wie ein Stern dem Mond. Jetzt war es wieder ein grünes Licht an einem Pier. Seine Sammlung verzauberter Gegenstände war um ein Objekt kleiner geworden.

Ich begann im Zimmer umherzuwandern und inspizierte verschiedene im Halbdunkel unbestimmbare Gegenstände. Die große Fotografie eines älteren Mannes in Segelkleidung, die an der Wand über seinem Schreibtisch hing, weckte mein Interesse.

»Wer ist das?«

»Das? Das ist Mr Dan Cody, alter Knabe.«

Von fern klang der Name vertraut.

»Er lebt nicht mehr. Vor Jahren war er mal mein bester Freund.«

Ein kleines Bild von Gatsby, ebenfalls in Segelmontur, stand auf dem Sekretär – Gatsby mit herausfordernd zurückgeworfenem Kopf – aufgenommen, als er ungefähr achtzehn war.

»Wie hinreißend!«, rief Daisy aus. »Die Pompadour-Haartolle! Du hast mir nie erzählt, dass du eine Haartolle hattest – oder eine Jacht.«

»Schau mal hier«, sagte Gatsby rasch. »Lauter Zeitungsausschnitte – über dich.«

Sie standen Seite an Seite und betrachteten sie. Ich wollte gerade darum bitten, die Rubine sehen zu dürfen, als das Telefon klingelte und Gatsby den Hörer abnahm.

»Ja ... Also, ich kann jetzt nicht reden ... Ich kann jetzt nicht reden, alter Knabe ... Eine *kleine* Stadt, sagte ich ... Er wird doch wohl wissen, was eine kleine Stadt ist ... Dann können wir ihn eben nicht gebrauchen, wenn seine Vorstellung von einer Kleinstadt Detroit ist ...«

Er legte auf.

»Komm her, *schnell*!«, rief Daisy vom Fenster aus.

Es regnete immer noch, aber im Westen war der düstere Himmel aufgerissen, und in Rosa und Gold bauschten sich schaumige Wolken über dem Meer.

»Schau dir das an«, wisperte sie, und dann kurz darauf: »Am liebsten würde ich einfach eine dieser rosa Wolken nehmen, dich hineinstecken und darin herumschieben.«

Ich versuchte mich daraufhin zu verabschieden, aber sie wollten nichts davon hören; möglicherweise fühlten sie sich in meiner Gegenwart auf befriedigendere Weise allein.

»Ich weiß, was wir machen«, sagte Gatsby, »wir holen Klipspringer her, damit er Klavier spielt.«

Er lief unter »Ewing!«-Rufen aus dem Zimmer und kam wenige Minuten später zurück, in Begleitung eines verlegenen, leicht erschöpften jungen Mannes mit Schildpattbrille und spärlichem Blondhaar. Er war jetzt anständig bekleidet mit einem am Kragen offenen »Sporthemd«, Turnschuhen und einer Segeltuchhose in nebelhaftem Farbton.

»Haben wir Ihre Übungen unterbrochen?«, erkundigte Daisy sich höflich.

»Ich habe geschlafen«, rief Mr Klipspringer in einem Anfall von Verlegenheit. »Das heißt, ich *hatte* geschlafen. Dann bin ich aufgestanden …«

»Klipspringer spielt Klavier«, schnitt Gatsby ihm das Wort ab. »Ist es nicht so, Ewing, alter Knabe?«

»Ich spiele nicht gut. Eigentlich – eigentlich spiele ich fast nie. Ich bin völlig aus der Üb–«

»Lasst uns nach unten gehen«, unterbrach Gatsby ihn. Er legte einen Schalter um. Die grauen Fenster verschwanden, als das Haus sich mit strahlendem Licht füllte.

Im Musikzimmer knipste Gatsby neben dem Klavier eine einzelne Lampe an. Mit zitterndem Streichholz gab er Daisy Feuer für ihre Zigarette und setzte sich mit ihr auf eine Couch ganz am anderen Ende des Raumes, wo kein Licht hinfiel außer dem Schimmer, den der glänzende Fußboden von der Halle hereinwarf.

Nachdem Klipspringer *The Love Nest* gespielt hatte, drehte er sich auf der Klavierbank herum und hielt unglücklich im Halbdunkel Ausschau nach Gatsby.

»Wie Sie sehen, bin ich völlig aus der Übung. Ich hab Ihnen ja gesagt, dass ich nicht spielen kann. Ich bin völlig aus der Üb–«

»Reden Sie nicht so viel, alter Knabe«, kommandierte Gatsby. »Spielen Sie!«

»In the morning,
In the Evening,
Ain't we got fun …«

Draußen regte sich lautstark der Wind und ferner Donner kroch über den Sund. In West Egg gingen nun alle Lichter an; die elektrischen Züge mit ihrer Menschenfracht stampften von New York durch den Regen nach Hause. Es war die Stunde eines tief greifenden menschlichen Wandels, und die Luft lud sich auf mit gespannter Erwartung.

»One thing's sure and nothing's surer
The rich get richer and the poor get – children.
In the meantime,
In between time …«

Als ich hinüberging, um mich zu verabschieden, sah ich, dass der Ausdruck von Verwirrung in Gatsbys Gesicht zurückgekehrt war, als ob ihm ein leiser Zweifel gekommen wäre über das Glück, das er gegenwärtig empfand. Fast fünf Jahre! Selbst noch an jenem Nachmittag muss es Momente gegeben haben, in denen Daisy hinter seine Träume zurückfiel – nicht aus eigener Schuld, sondern wegen der ungeheuren Lebendigkeit seiner Illusion. Sie war über Daisy, ja über alles hinausgewachsen. Er hatte sich ihr mit schöpferischer Leidenschaft hingegeben, indem er ihr beständig etwas hinzufügte, sie mit jeder leuchtenden Feder schmückte, die ihm über den Weg schwebte. Kein Maß an Feuer oder Frische reicht aus, um es mit dem aufzunehmen, was ein Mann in seinem gespenstischen Herzen bewahrt.

Während ich ihn betrachtete, nahm er sich merklich ein wenig zusammen. Seine Hand griff nach der ihren, und als sie ihm leise etwas ins Ohr sagte, wandte er sich in einem Gefühlsausbruch zu ihr hin. Mir scheint, es war vor allem ihre Stimme, die ihn fesselte, ihre fließende, fiebrige Wärme, weil sie sich nicht betörender träumen ließ – diese Stimme war ein unsterblicher Gesang.

Sie hatten mich vergessen, doch Daisy schaute noch flüchtig auf und reichte mir die Hand; Gatsby kannte mich schon nicht mehr. Ich sah noch einmal zu ihnen hin, und entrückt erwiderten sie meinen Blick, ganz von intensivem Leben erfüllt. Dann ging ich aus dem Zimmer und die marmornen Stufen hinab in den Regen und ließ die beiden dort miteinander allein.

KAPITEL 6

Etwa um diese Zeit stand eines Morgens ein ehrgeiziger junger Reporter aus New York vor Gatsbys Tür und fragte ihn, ob er etwas zu sagen habe.

»Etwas zu sagen wozu?«, erkundigte Gatsby sich höflich.

»Na ja – irgendeine Erklärung abzugeben.«

Nach fünfminütigem Hin und Her stellte sich heraus, dass der Mann in seiner Redaktion Gatsbys Namen aufgeschnappt hatte, in einem Zusammenhang, den er entweder nicht preisgeben wollte oder nicht ganz durchschaute. Dies war sein freier Tag, und mit lobenswertem Eifer hatte er sich aufgemacht, um der Sache »auf den Grund zu gehen«.

Es war ein Schuss ins Blaue, doch der Reporter hatte den richtigen Riecher. Gatsbys schillernde Bekanntheit, verbreitet von all den Hunderten, die seine Gastfreundschaft genossen hatten und über sein Vorleben somit bestens Bescheid wissen mussten, hatte den Sommer über so sehr zugenommen, dass er kurz davor stand, eine Nachricht wert zu sein. Damals kursierende Legenden wie die von der »unterirdischen Schnaps-Pipeline nach Kanada« verknüpften sich mit ihm, und hartnäckig hielt sich das Gerücht, er wohne gar nicht in einem

Haus, sondern auf einem Boot, das wie ein Haus aussehe und heimlich an der Küste Long Islands auf und ab schippere. Weshalb allerdings James Gatz aus North Dakota aus solcherlei Märchen Genugtuung schöpfte, ist schwer zu sagen.

James Gatz – so lautete sein eigentlicher oder jedenfalls sein bürgerlicher Name. Er hatte ihn im Alter von siebzehn Jahren geändert, in exakt jenem Moment, der den Beginn seiner Karriere markierte – nämlich als er Dan Codys Jacht über der tückischsten Untiefe des Lake Superior vor Anker gehen sah. Es war James Gatz, der an diesem Nachmittag in einem zerschlissenen grünen Pullover und Segeltuchhosen am Strand entlangschlenderte, doch kurz darauf schon war es Jay Gatsby, der sich ein Boot auslieh, zur *Tuolomee* hinausruderte und Cody darüber aufklärte, dass ihn binnen einer halben Stunde ein Wind erfassen und zum Kentern bringen könnte.

Ich vermute, er hatte sich den Namen bereits lange vor jenem Tag zurechtgelegt. Seine Eltern waren träge, erfolglose Farmer – seine Vorstellungskraft hatte sie eigentlich nie ganz als seine Eltern akzeptiert. Die Wahrheit war, dass Jay Gatsby aus West Egg, Long Island, seiner eigenen platonischen Idee von sich selbst entsprang. Er war ein Sohn Gottes – ein Ausdruck, der, wenn überhaupt etwas, dann genau das bedeutet –, und folgend dem Geheiß Seines Vaters huldigte er einer grenzenlosen, vulgären und trügerischen Schönheit. So erfand er einen Jay Gatsby, wie ihn ein siebzehnjähriger Junge kaum anders erfinden konnte, und dieser Idee blieb er bis zum Schluss treu.

Über ein Jahr lang hatte er sich am Südufer des Lake Superior als Muschelsucher und Lachsfischer durchgeschlagen oder mit jeder anderen Tätigkeit, die ihm ein Bett und eine Mahlzeit verschaffte. Seinem braunen, zäher werdenden Körper bereitete die mal harte, mal gemächliche Arbeit dieser erfrischenden Tage keinerlei Mühe. Früh schon lernte er Frauen kennen, und da sie ihn verwöhnten, begann er sie zu verachten, die jungen Unberührten, weil sie dumm waren, und die Übrigen, weil sie sich über Dinge echauffierten, die er in seiner grenzenlosen Selbstverliebtheit für ganz natürlich hielt.

Doch sein Herz war in ständigem unbändigen Aufruhr. Nachts in seinem Bett suchten ihn die absurdesten und fantastischsten Einfälle heim. Ein Universum von unbeschreiblicher Pracht entspann sich in seinem Hirn, während die Uhr auf dem Waschtisch tickte und der Mond seine auf dem Fußboden verstreuten Kleider mit nassem Licht tränkte. Nacht für Nacht webte er weiter am Stoff seiner Wunschbilder, bis die Schläfrigkeit schließlich mit weltvergessener Umarmung irgendeine lebhafte Szene beschloss. Für eine Weile dienten diese Träumereien seiner Vorstellungskraft als Ventil; sie waren hinreichende Anzeichen für die Unwirklichkeit der Wirklichkeit, eine Verheißung, dass der Fels der Welt sicher auf einem Feenflügel ruhte.

Ein Vorgefühl seines künftigen Ruhms hatte ihn einige Monate zuvor an das kleine lutherische College St. Olaf im südlichen Minnesota geführt. Er blieb dort zwei Wochen, war entsetzt von der eisigen Gleichgültigkeit gegenüber den Trommeln seines Schicksals, ja gegenüber dem Schicksal selbst, und verabscheute die Arbeit als Hausmeister, die ihm das Geld für sein Studium einbringen sollte. Dann wehte es ihn zurück an den Lake Superior, und er wusste noch immer nicht recht, wie es weitergehen sollte, als an jenem Tag Dan Codys Jacht an den küstennahen Untiefen vor Anker ging.

Cody war damals fünfzig Jahre alt, ein Produkt der Silberminen Nevadas, des Yukon, eigentlich jedes Edelmetallrauschs seit 1875. Bei den Geschäften mit Montana-Kupfer, die ihn zum mehrfachen Millionär machten, erwies er sich als körperlich robust, doch sein Verstand war denkbar leicht zu beeinflussen, und zahllose Frauen spekulierten darauf und versuchten, ihn von seinem Geld zu trennen. Die nicht gerade appetitlichen Begleitumstände, mit denen Ella Kaye, die Reporterin, wie eine Madame de Maintenon seine Schwachheit ausnutzte und ihn mit einer Jacht auf See schickte, gehörten 1902 in sämtlichen Skandalblättern zum Tagesgespräch. Er war fünf Jahre an allzu gastlichen Ufern entlanggesegelt, bevor er als James Gatz' Schicksal in Little Girl Bay aufkreuzte.

Für den jungen Gatz, der auf seine Ruder gestützt zur Reling hinaufschaute, verkörperte jene Jacht alle Schönheit und allen Glanz dieser Welt. Ich vermute, dass er Cody anlächelte – er hatte wahrscheinlich bereits entdeckt, dass die Leute ihn mochten, wenn er lächelte. Jedenfalls stellte Cody ihm einige Fragen (eine entlockte ihm den nagelneuen Namen) und merkte, dass er aufgeweckt und zügellos ehrgeizig war. Ein paar Tage später nahm Cody ihn mit nach Duluth und kaufte ihm ein blaues Jackett, sechs weiße Segeltuchhosen und eine Seglermütze. Und als die *Tuolomee* mit Kurs auf die Westindischen Inseln und die Barbary Coast in See stach, war auch Gatsby an Bord.

Er erhielt eine unklare persönliche Funktion – solange er bei Cody blieb, war er abwechselnd Steward, Steuermann, Kapitän, Sekretär und sogar Aufseher, denn der nüchterne Dan Cody wusste recht gut, zu welch maßlosem Treiben der betrunkene Dan Cody mitunter aufgelegt sein konnte, und er sorgte für solcherlei Eventualitäten vor, indem er immer mehr Vertrauen in Gatsby setzte. Das Konstrukt hielt fünf Jahre, in deren Verlauf das Schiff dreimal um den Kontinent segelte. Es hätte ewig halten können, wäre nicht eines Nachts in Boston Ella Kaye an Bord gekommen und hätte eine Woche später nicht Dan Cody die Ungastlichkeit besessen zu sterben.

Ich erinnere mich an das Porträt von ihm oben in Gatsbys Schlafzimmer, ein grauhaariger, rüstiger Mann mit einem ausdruckslosen, harten Gesicht – ein Pionier der Zügellosigkeit, der in einer bestimmten Phase der amerikanischen Geschichte die rauen Sitten der Saloons und Bordelle von der Grenze zum Wilden Westen mit zurück an die Ostküste brachte. Indirekt lag es an Cody, dass Gatsby so wenig trank. Manchmal während ausgelassener Partys rieben ihm Frauen Champagner ins Haar; er selbst aber ließ immer öfter die Finger vom Alkohol.

Und es war Cody, von dem er Geld erbte – eine Hinterlassenschaft von fünfundzwanzigtausend Dollar. Doch Gatsby bekam sie nicht. Er kam nie dahinter, welcher juristische Kunstgriff gegen ihn angewendet wurde, aber was von den Millionen noch übrig war, ging komplett an Ella Kaye. Ihm blieb allein seine ihm auf den Leib geschneiderte Ausbildung; die undeutlichen Konturen Jay Gatsbys hatten sich zum greifbaren Bild eines Mannes verfestigt.

All dies erzählte er mir sehr viel später, doch habe ich es hier eingefügt in der Absicht, jene frühen wilden Gerüchte über sein Vorleben, die nicht im Entferntesten der Wahrheit entsprachen, aus der Welt zu schaffen. Im Übrigen erzählte er es mir zu einem Zeitpunkt, als ich schon völlig verwirrt war und ihn betreffend an alles und nichts mehr glaubte. So nutze ich also diese kurze Pause, während es Gatsby sozusagen den Atem verschlug, um mit all den falschen Vorstellungen aufzuräumen.

Auch hinsichtlich meiner Verwicklung in seine Angelegenheiten trat eine Pause ein. Mehrere Wochen lang bekam ich ihn weder zu Gesicht, noch hörte ich seine Stimme am Telefon – meist war ich in New York, zog mit Jordan los und versuchte, mit ihrer altersschwachen Tante warm zu werden –, bis ich eines Sonntagnachmittags schließlich zu ihm hinüberging. Ich war kaum zwei Minuten dort, als jemand Tom Buchanan auf einen Drink hereinführte. Das verblüffte mich natürlich, aber das eigentlich Erstaunliche bestand darin, dass es nicht schon früher geschehen war.

Sie waren zu dritt und zu Pferd gekommen – Tom mit einem Mann namens Sloane und einer hübschen Frau in braunem Reitdress, die schon einmal dort gewesen war.

»Ich freue mich, Sie zu sehen«, sagte Gatsby, der auf seiner Veranda stand. »Ich freue mich, dass Sie vorbeischauen.«

Als ob sie das kümmerte!

»Setzen Sie sich doch. Nehmen Sie sich eine Zigarette oder Zigarre.« Er lief geschäftig im Zimmer umher und läutete Glocken. »Ich werde Ihnen sofort etwas zu trinken bringen lassen.«

Toms Anwesenheit versetzte ihn in beträchtliche Unruhe. Doch er hätte sich ohnehin unwohl gefühlt, bis er ihnen etwas angeboten hatte, denn schemenhaft war ihm bewusst, dass sie allein deswegen gekommen waren. Mr Sloane wollte nichts. Eine Limonade? Nein, danke. Ein Gläschen Champagner? Gar nichts, danke … Verzeihen Sie –

»Hatten Sie einen schönen Ausritt?«

»Sehr gute Wege hier in der Gegend.«

»Ich vermute, die Automobile –«

»Japp.«

Getrieben von einem unwiderstehlichen Impuls wandte Gatsby sich an Tom, der sich hatte vorstellen lassen wie ein Fremder.

»Ich glaube, wir sind uns schon einmal begegnet, Mr Buchanan.«

»Oh, ja«, sagte Tom mit schroffer Höflichkeit, doch offenbar ohne sich zu erinnern. »Das sind wir. Ich erinnere mich sehr gut.«

»Vor ungefähr zwei Wochen.«

»Richtig. Sie waren mit Nick unterwegs.«

»Ich kenne Ihre Frau«, fuhr Gatsby fort und klang fast aggressiv.

»Ach ja?«

Tom wandte sich an mich.

»Wohnst du hier in der Nähe, Nick?«

»Nebenan.«

»Ach ja?«

Mr Sloane beteiligte sich nicht am Gespräch, sondern lehnte sich hochmütig in seinem Stuhl zurück; die Frau sagte ebenfalls kein Wort – dann, nach zwei Highballs, taute sie plötzlich auf.

»Wir kommen allesamt zu Ihrer nächsten Party, Mr Gatsby«, schlug sie vor. »Was halten Sie davon?«

»Immer gern. Ich wäre erfreut, Sie begrüßen zu dürfen.«

»Wär nett«, sagte Mr Sloane ohne Dankbarkeit. »Tja – sollten uns dann mal auf den Weg machen.«

»Bitte, nur keine Eile«, beschwor Gatsby sie. Er hatte sich jetzt im Griff, und er wollte mehr über Tom erfahren. »Warum … warum bleiben Sie nicht zum Abendessen? Ich wäre nicht überrascht, wenn noch ein paar Leute aus New York auf einen Sprung hereinschauten.«

»Kommen Sie doch zum Essen zu *mir*«, sagte die Dame begeistert. »Sie beide.«

Das schloss mich ein. Mr Sloane stand auf.

»Na los«, sagte er – allerdings nur zu ihr.

»Nein, wirklich«, beharrte sie. »Ich hätte Sie gern bei mir. Platz ist genug.«

Gatsby sah mich fragend an. Er wollte mitgehen und merkte nicht, dass Mr Sloane ihn partout nicht dabeihaben wollte.

»Ich fürchte, ich bin verhindert«, sagte ich.

»Nun, aber Sie kommen«, drängte sie, nun einzig an Gatsby gewandt.

Mr Sloane murmelte etwas dicht an ihrem Ohr.

»Wir sind nicht spät dran, wenn wir gleich losreiten«, entgegnete sie laut.

»Ich habe kein Pferd«, sagte Gatsby. »Bei der Armee bin ich oft geritten, aber ich habe mir nie ein Pferd gekauft. Ich werde mit meinem Wagen hinter Ihnen herfahren müssen. Entschuldigen Sie mich einen Moment.«

Wir Übrigen traten hinaus auf die Veranda, wo Sloane und die Dame etwas abseits ein hitziges Gespräch begannen.

»Mein Gott, ich glaube, der Kerl kommt tatsächlich mit«, sagte Tom. »Begreift er denn nicht, dass sie das gar nicht will?«

»Sie hat doch ausdrücklich gesagt, dass sie es will.«

»Sie gibt ein großes Abendessen, und er wird dort keine Menschenseele kennen.« Er runzelte die Stirn. »Ich frage mich, wo zum Teufel er Daisy getroffen hat. Bei Gott, meine Vorstellungen sind vielleicht altmodisch, aber ich finde, die Frauen treiben sich heutzutage viel zu viel herum. Da begegnen sie allerhand schrägen Vögeln.«

Unversehens gingen Mr Sloane und die Dame die Treppe hinunter und stiegen auf ihre Pferde.

»Kommen Sie«, sagte Mr Sloane zu Tom, »wir sind spät dran. Wir müssen los.« Und dann zu mir: »Sagen Sie ihm bitte, wir konnten nicht warten, ja?«

Tom und ich gaben uns die Hand, wir anderen nickten einander kühl zu, dann sie trabten sie rasch die Einfahrt hinunter und verschwanden eben unter dem Augustlaub, als Gatsby mit Hut und leichtem Mantel in Händen aus der Haustür trat.

Tom war offenkundig beunruhigt darüber, dass Daisy sich allein herumtrieb, denn am folgenden Samstagabend erschien er gemeinsam mit ihr auf Gatsbys Party. Vielleicht verlieh seine Anwesenheit jener Nacht ihre eigentümlich bedrückende Atmosphäre – jedenfalls sticht sie in meiner Erinnerung unter Gatsbys anderen Partys des Sommers hervor. Es waren dieselben Leute oder zumindest dieselbe Art von Leuten, derselbe Überfluss an Champagner, dasselbe vielfarbige, vielstimmige Durcheinander, aber für mein Empfinden lag etwas Unangenehmes in der Luft, eine durchdringende Härte, die es vorher nicht gegeben hatte. Oder vielleicht war ich inzwischen daran gewöhnt, hatte West Egg als völlig eigene Welt zu nehmen gelernt mit ihren eigenen Maßstäben und ihren eigenen Helden, mit nichts zu vergleichen, weil es sich allen Vergleichen entzog, und jetzt betrachtete ich es aufs Neue, und zwar mit Daisys Augen. Es hat stets etwas Betrübliches, mit dem Blick eines andern auf Dinge zu schauen, an die man sich selbst nur mit größter Mühe hat gewöhnen können.

Die beiden kamen mit der Dämmerung, und als wir uns draußen unter die funkelnden Hunderterscharen mischten, vollführte Daisys Stimme flüsternde Kunststücke in ihrer Kehle.

»Ich finde das alles hier ja *so* aufregend«, wisperte sie. »Wenn du mich irgendwann heute Nacht küssen möchtest, Nick, lass es mich einfach wissen und ich werde es liebend gern für dich einrichten. Sag einfach meinen Namen. Oder zeig eine grüne Karte vor. Ich verteile grüne –«

»Schauen Sie sich um«, ermunterte Gatsby uns.

»Ich schau mich ja um. Ich find's einfach fabel–«

»Sie werden die Gesichter vieler Leute entdecken, von denen Sie schon gehört haben.«

Toms arroganter Blick wanderte durch die Menge.

»Wir gehen nicht sonderlich oft unter Leute«, sagte er. »Eigentlich dachte ich gerade, ich kenne hier nicht eine Menschenseele.«

»Möglicherweise kennen Sie diese Dame.« Gatsby deutete auf eine prächtige, fast schon ätherische Orchidee von einer Frau, die hofhaltend unter einem weißen Pflaumenbaum saß. Toms und Daisys Blicke erstarrten in jenem seltsam unwirklichen Gefühl, das mit dem Erkennen einer bis dahin geisterhaften Leinwandberühmtheit einhergeht.

»Sie ist zauberhaft«, sagte Daisy.

»Der Mann, der sich über sie beugt, ist ihr Regisseur.«

Gatsby führte sie feierlich von Gruppe zu Gruppe:

»Mrs Buchanan … und Mr Buchanan …« Nach kurzem Zögern fügte er hinzu: »… der Polospieler.«

»O nein«, protestierte Tom eilig, »nicht doch.«

Gatsby jedoch schien der Klang dieses Beinamens zu gefallen, denn für den Rest des Abends blieb Tom »der Polospieler«.

»Ich bin noch nie so vielen berühmten Leuten begegnet!«, rief Daisy aus. »Mir gefiel dieser Mann da – wie hieß er noch? –, der mit der irgendwie blauen Nase.«

Gatsby nannte seinen Namen und fügte hinzu, er sei ein kleiner Produzent.

»Na, mir gefiel er trotzdem.«

»Mir wär's eigentlich lieber, nicht der Polospieler zu sein«, sagte Tom freundlich, »ich würde mir all die Berühmtheiten hier viel lieber an… anonym ansehen.«

Daisy und Gatsby tanzten. Ich erinnere mich, dass sein eleganter, zurückhaltender Foxtrott mich überraschte – ich hatte ihn vorher nie tanzen sehen. Dann schlenderten sie zu meinem Haus hinüber und saßen eine halbe Stunde lang auf der Treppe, während ich auf Daisys Bitte hin wachsam im Garten blieb. »Falls es ein Feuer oder eine Springflut gibt«, erläuterte sie, »oder sonst ein Naturereignis.«

Tom tauchte aus seiner Anonymität wieder auf, als wir uns gemeinsam zum Essen niederließen. »Ist es euch recht, wenn ich mit einigen Leuten dort drüben esse?«, fragte er. »Einer von denen lässt ein paar lustige Geschichten vom Stapel.«

»Geh nur«, antwortete Daisy zuvorkommend, »und falls du dir irgendwelche Adressen notieren möchtest, hier ist mein kleiner goldener Stift.« … Kurz darauf schaute sie sich um und teilte mir mit, das Mädchen sei »gewöhnlich, aber ganz hübsch«, und ich begriff, dass sie sich, abgesehen von der halben Stunde, die sie mit Gatsby allein gewesen war, keineswegs wohlfühlte.

An unserem Tisch ging es besonders feuchtfröhlich zu. Das war meine Schuld – Gatsby war ans Telefon gerufen worden, und erst zwei Wochen zuvor hatte ich mit denselben Leuten einen vergnügten Abend verbracht. Doch was mich damals amüsiert hatte, entfaltete jetzt einen bitteren Beigeschmack.

»Wie fühlen Sie sich, Miss Baedeker?«

Das angesprochene Mädchen versuchte gerade vergeblich, sich gegen meine Schulter plumpsen zu lassen. Auf die Frage hin richtete sie sich auf und öffnete die Augen.

»Wa'?«

Eine füllige, stumpfe Frau, die soeben noch Daisy gedrängt hatte, morgen im örtlichen Club mit ihr Golf zu spielen, ergriff für Miss Baedeker Partei:

»Oh, jetzt geht's ihr gut. Nach fünf oder sechs Cocktails fängt sie immer so an zu schreien. Ich sage ihr dann, dass sie das Trinken lassen soll.«

»Ich lass es ja schon«, versicherte die Beschuldigte hohl tönend.

»Wir haben Sie schreien hören, also hab ich zu Doc Civet hier gesagt: ›Da braucht wohl wer Ihre Hilfe, Doc.‹«

»Sie weiß das bestimmt zu schätzen«, sagte eine andere Freundin reserviert, »aber ihr Kleid ist völlig durchnässt, seit Sie ihren Kopf in den Pool gesteckt haben.«

»Wenn ich eins hasse, dann ist das, wenn mir einer den Kopf in den Pool steckt«, nuschelte Miss Baedeker. »Drüben in New Jersey haben sie mich mal fast ertränkt.«

»Dann sollten Sie das Trinken lassen«, konterte Doktor Civet.

»Das müssen Sie grad sagen!«, kreischte Miss Baedeker hitzig. »Ihre Hand zittert. Von Ihnen würd ich mich nicht operieren lassen!«

So etwa ging es zu. Beinahe das Letzte, woran ich mich erinnere, ist, wie ich mit Daisy dastand und den Filmregisseur und seinen Star beobachtete. Sie saßen noch immer unter dem weißen Pflaumenbaum, und ihre Gesichter berührten sich fast, nur ein blasser, dünner Strahl Mondlicht schimmerte zwischen ihnen. Mir schien, als habe er sich im Lauf des Abends ganz allmählich zu ihr hinübergebeugt, um ihr so nahe zu sein, und noch während ich die beiden betrachtete, sah ich, wie er sich um einen allerletzten Grad vorneigte und sie auf die Wange küsste.

»Ich mag sie«, sagte Daisy, »ich finde sie zauberhaft.«

Alles andere aber missfiel ihr – und zwar unbestreitbar, weil es keine Geste war, sondern ein Gefühl. Sie war entsetzt über

West Egg, diesen unerhörten »Ort«, den der Broadway einem Fischerdorf auf Long Island eingepflanzt hatte – entsetzt über seine ungehobelte Energie, die rau unter den alten Schönfärbereien scheuerte, und über das allzu aufdringliche Schicksal, das seine Bewohner auf kürzestem Weg von einem Nichts ins andere trieb. Sie sah etwas Schreckliches in all dieser schieren Einfachheit, die sie nicht verstand.

Ich saß mit ihnen auf den Stufen vor dem Haus, während sie auf ihren Wagen warteten. Hier an der Vorderseite war es dunkel; nur die helle Tür schickte ein zwei Quadratmeter großes Rechteck aus Licht hinaus in den weichen schwarzen Morgen. Manchmal rührte sich über uns ein Schatten hinter dem Rouleau eines Ankleidezimmers, wich dann einem anderen Schatten, einer endlosen Prozession von Schatten, die sich in einem unsichtbaren Spiegel schminkten und puderten.

»Wer ist dieser Gatsby überhaupt?«, fragte Tom unvermittelt. »Eine große Nummer im Alkoholschmuggel?«

»Wo hast du das denn her?«, entgegnete ich.

»Nirgendwoher. Ich kann's mir denken. Viele von diesen Neureichen sind bloß große Nummern im Alkoholschmuggel, weißt du.«

»Gatsby nicht«, sagte ich knapp.

Er schwieg einen Moment. Die Kieselsteine der Auffahrt knirschten unter seinen Füßen.

»Na, jedenfalls muss er sich mächtig ins Zeug gelegt haben, um diesen ganzen Zirkus zu veranstalten.«

Eine Brise fuhr in den grauen Nebelschleier von Daisys Pelzkragen.

»Wenigstens sind die Leute hier interessanter als die, die wir kennen«, sagte sie mit einiger Mühe.

»Du sahst gar nicht so interessiert aus.«

»Tja, ich war's aber.«

Tom lachte und wandte sich an mich.

»Hast du Daisys Gesicht bemerkt, als dieses Mädchen sie bat, sie unter die kalte Dusche zu stellen?«

Daisy begann in heiserem, rhythmischem Flüsterton zur Musik zu singen, ließ in jedem Wort eine Bedeutung aufscheinen, die es nie zuvor gehabt hatte und nie wieder haben würde. Wenn die Melodie anstieg, brach sich ihre Stimme auf reizende Weise, folgte ihr nach Art einer Altstimme, und mit jedem Wechsel strömte ein wenig von ihrem warmen menschlichen Zauber hinaus in die Luft.

»Viele Leute kommen her, ohne eingeladen zu sein«, sagte sie plötzlich. »Dieses Mädchen war nicht eingeladen. Sie drängen sich einfach herein, und er ist zu höflich, etwas dagegen zu sagen.«

»Ich möchte zu gern wissen, wer er ist und was er tut«, beharrte Tom. »Und ich werd's schon noch herausfinden.«

»Ich kann's dir auch gleich sagen«, antwortete sie. »Ihm gehörten mal ein paar Drugstores, eine Menge Drugstores. Er hat alles selbst aufgebaut.«

Das prächtige Auto kam zögernd den Weg heraufgerollt.

»Gute Nacht, Nick«, sagte Daisy.

Ihr flüchtiger Blick glitt von mir ab und suchte den beleuchteten oberen Treppenabsatz, wo *Three o'Clock in the Morning*, ein netter, trauriger kleiner Walzer aus jenem Jahr, zur offenen Tür herauswehte. Letztlich steckten in Gatsbys Party mit ihrer Zwanglosigkeit romantische Möglichkeiten, die in ihrer Welt völlig fehlten. Was hatte dieses Lied dort oben, das sie wieder hineinzurufen schien? Was würde in den nächsten dämmrigen, unberechenbaren Stunden geschehen? Vielleicht würde irgendein sagenhafter Gast erscheinen, eine ganz und gar außergewöhnliche, staunenswerte Person, irgendein aus sich heraus strahlendes junges Mädchen, das mit einem kurzen frechen Blick auf Gatsby, in einem Augenblick magischer Begegnung fünf Jahre unverminderter Hingabe auslöschen würde.

Ich blieb noch lange dort in dieser Nacht, Gatsby bat mich, auf ihn zu warten, und so vertrieb ich mir im Garten die Zeit, bis die unvermeidliche Schwimmerriege durchgefroren und ausgelassen vom schwarzen Strand heraufgerannt kam, bis in den oberen Gästezimmern die Lichter gelöscht wurden. Als er schließlich die Stufen herunterstieg, spannte sich die gebräunte Haut ungewöhnlich straff über seinem Gesicht, und seine Augen glänzten müde.

»Es hat ihr nicht gefallen«, sagte er sofort.

»Natürlich hat es das.«

»Es hat ihr nicht gefallen«, beharrte er. »Sie hat sich nicht amüsiert.«

Er schwieg, und ich ahnte seine unaussprechliche Niedergeschlagenheit.

»Ich fühle mich ihr so fern«, sagte er. »Es ist schwer, ihr das begreiflich zu machen.«

»Meinen Sie den Tanz?«

»Den Tanz?« Mit einem Fingerschnippen tat er sämtliche Tänze ab, die er jemals gewährt hatte. »Alter Knabe, der Tanz ist unwichtig.«

Er wünschte sich von Daisy nichts Geringeres, als dass sie zu Tom ging und sagte: »Ich habe dich nie geliebt.« Sobald sie mit diesem Satz vier Jahre ausgelöscht hätte, könnten die beiden sich über die anstehenden praktischen Schritte Gedanken machen. Einer davon war, dass sie, nachdem Daisy frei wäre, nach Louisville zurückkehren und in ihrem Elternhaus heiraten würden – als hätte es die letzten fünf Jahre nicht gegeben.

»Und sie begreift es nicht«, sagte er. »Früher einmal hat sie's begriffen. Stundenlang konnten wir dasitzen …«

Er brach ab und begann, auf einem trostlosen Pfad aus Obstschalen, achtlos weggeworfenen kleinen Geschenken und zertretenen Blumen auf und ab zu gehen.

»Ich würde nicht zu viel von ihr verlangen«, erlaubte ich mir zu sagen. »Man kann die Vergangenheit nicht wiederholen.«

»Die Vergangenheit nicht wiederholen?«, rief er ungläubig. »Aber sicher kann man das!«

Ungestüm sah er sich um, als lauerte die Vergangenheit hier im Schatten seines Hauses, nur knapp außer Reichweite seiner Hand.

»Ich werde alles wieder genau so herrichten, wie es vorher war«, sagte er mit entschlossenem Nicken. »Sie wird schon sehen.«

Er sprach viel über die Vergangenheit, und ich reimte mir zusammen, dass er etwas wiedererlangen wollte, irgendeine Idee von sich selbst vielleicht, die in der Liebe zu Daisy aufgegangen war. Seit damals war sein Leben verworren und ungeordnet, doch würde er erst einmal zu einem bestimmten Ausgangspunkt zurückkehren und alles noch einmal langsam durchgehen, könnte er herausfinden, was jenes Etwas war …

… In einer Herbstnacht, fünf Jahre zuvor, waren sie unter fallenden Blättern die Straße entlanggegangen, und sie kamen an eine Stelle, wo es keine Bäume gab und der Gehweg weiß war vom Mondlicht. Hier blieben sie stehen und wandten sich einander zu. Die Nacht war jetzt kühl und erfüllt von jener geheimnisvollen Erregung, die mit den beiden Wetterwechseln im Jahr einhergeht. Die stillen Lichter in den Häusern summten hinaus in die Dunkelheit, und ein Flirren und reges Treiben herrschte zwischen den Sternen. Aus dem Augenwinkel sah Gatsby, dass die Steine des Gehwegs eine Leiter bildeten und zu einem verborgenen Ort über den Bäumen emporführten – er könnte hinaufsteigen, wenn er allein hinaufstieg, und einmal oben, könnte er an der Zitze des Lebens saugen, die unvergleichliche Zaubermilch in sich hineintrinken.

Sein Herz klopfte schneller und schneller, als Daisys weißes Gesicht sich dem seinen näherte. Er wusste, wenn er dieses Mädchen küsste und seine unaussprechlichen Visionen auf ewig ihrem vergänglichen Atem vermählte, würde sein Geist nie wieder Kapriolen schlagen wie der Geist Gottes. Also wartete er, lauschte noch einen Moment auf die Stimmgabel, die angeschlagen worden war an einem Stern. Dann küsste er sie. Mit der Berührung seiner Lippen erblühte sie für ihn wie eine Blume, und die Inkarnation war vollkommen.

Alles, was er sagte, selbst seine scheußliche Sentimentalität, erinnerte mich an etwas – an einen kaum fasslichen Rhythmus, ein Bruchstück verlorener Worte, die ich vor langer Zeit irgendwo einmal gehört hatte. Einen Augenblick lang wollte ein Satz in meinem Mund Gestalt annehmen, und meine Lippen öffneten sich wie die eines Stummen, als rängen sie mit mehr als nur einem Hauch aufgewirbelter Luft. Doch sie formten sich zu keinem Laut, und woran ich mich fast erinnert hätte, blieb auf ewig unsagbar.

Kapitel 7

Das Interesse an Gatsby hatte gerade seinen Höhepunkt erreicht, da blieben eines Samstagnachts in seinem Haus die Lichter aus – und so undurchsichtig, wie sie begonnen hatte, war seine Karriere als Trimalchio wieder beendet. Erst allmählich wurde mir klar, dass die Automobile, die erwartungsvoll in seine Auffahrt einbogen, nur einen Moment anhielten und dann trotzig wieder davonfuhren. Ich fragte mich, ob er krank war, und ging hinüber, um nachzusehen – ein unbekannter Butler mit Schurkenvisage erschien in der Tür und beäugte mich misstrauisch.

»Ist Mr Gatsby krank?«

»Nö.« Nach einer Pause setzte er ein »Sir« hinzu, auf eine laxe, widerwillige Art.

»Ich habe ihn länger nicht gesehen, und ich bin ziemlich besorgt. Sagen Sie ihm, dass Mr Carraway da war.«

»Wer?«, blaffte er.

»Carraway.«

»Carraway. In Ordnung, ich sag's ihm.«

Ruckartig schlug er die Tür zu.

Meine Finnin berichtete mir, dass Gatsby eine Woche zuvor sämtliche Hausangestellten entlassen und sie durch ein halbes

Dutzend andere ersetzt hatte, die niemals nach West Egg Village gingen, um sich von den Händlern bestechen zu lassen, sondern maßvolle Bestellungen per Telefon aufgaben. Der Laufbursche des Lebensmittelhändlers erzählte, die Küche sehe aus wie ein Saustall, und im Dorf herrschte die Meinung vor, die Neuen seien überhaupt keine Hausangestellten.

Am nächsten Tag rief Gatsby mich an.

»Gehen Sie weg?«, erkundigte ich mich.

»Nein, alter Knabe.«

»Wie ich höre, haben Sie all Ihre Angestellten gefeuert.«

»Ich wollte Leute im Haus, die nicht so viel reden. Daisy kommt recht oft vorbei – nachmittags.«

Die ganze Karawanserei war also angesichts des Missfallens in ihrem Blick eingestürzt wie ein Kartenhaus.

»Es sind ein paar Leute, für die Wolfshiem etwas tun wollte. Allesamt Geschwister. Sie hatten mal ein kleines Hotel.«

»Verstehe.«

Er rief auf Daisys Bitte hin an – ob ich morgen zum Mittagessen zu ihr kommen könne? Miss Baker werde auch dort sein. Eine halbe Stunde später war Daisy selbst am Telefon und schien erleichtert, als sie hörte, ich würde kommen. Irgendetwas war im Gange. Und doch konnte ich nicht glauben, dass sie sich diesen Anlass für eine Szene aussuchen würden – noch dazu für die ziemlich peinliche Szene, die Gatsby im Garten skizziert hatte.

Der folgende Tag war brütend heiß, fast der letzte, sicher aber der wärmste des Sommers. Als mein Zug aus dem Tunnel hinaus ins Sonnenlicht glitt, durchbrachen nur die hitzigen Pfeifsignale der National Biscuit Company die siedende Mittagsstille. Die Strohsitze des Abteils waren nahe daran, in Flammen aufzugehen; die Frau neben mir transpirierte eine Weile lang vornehm in ihre weiße Hemdbluse, doch als die Zeitung unter ihren Fingern zusehends feuchter wurde, ergab sie sich mit einem kläglichen Seufzer verzweifelt der fiebrigen Hitze. Ihre Handtasche fiel klatschend zu Boden.

»Ach herrje!«, keuchte sie.

Mit einer matten Bewegung hob ich sie auf und gab sie ihr zurück, indem ich sie beim äußersten Zipfel fasste und ihr am ausgestreckten Arm hinhielt, um anzuzeigen, dass ich keinerlei dubiose Absichten hegte – doch sämtliche Umsitzenden, einschließlich der Frau, verdächtigten mich trotzdem.

»Heiß!«, sagte der Schaffner zu vertrauten Gesichtern. »Das ist ein Wetter! … Heiß! … Heiß! … Heiß! … Ist Ihnen das heiß genug? Ist das heiß? Ist das …?«

Meine Dauerfahrkarte kehrte mit einem dunklen Fleck von seiner Hand zu mir zurück. Dass es bei dieser Hitze irgendwen scherte, wessen gerötete Lippen er küsste, wessen Kopf die Pyjamatasche über seinem Herzen feucht machte!

… Durch die Eingangshalle im Haus der Buchanans wehte ein leiser Wind und trug das Läuten des Telefons zu Gatsby und mir, während wir an der Tür warteten.

»Der Leichnam des Hausherrn!«, brüllte der Butler in die Muschel. »Bedaure, Madame, aber damit können wir nicht dienen – der ist heute Mittag viel zu heiß zum Anfassen!«

Was er wirklich sagte, war: »Ja … ja … ich sehe nach.«

Er legte den Hörer auf und kam, leicht glänzend, zu uns, um uns die steifen Strohhüte abzunehmen.

»Madame erwartet Sie im Salon!«, rief er und wies uns unnötigerweise die Richtung. Bei dieser Hitze war jede überflüssige Geste ein Affront gegen die allgemeinen Lebensgeister.

Der Raum, gut beschattet von Markisen, war dunkel und kühl. Daisy und Jordan lagen auf einer riesigen Couch und hielten wie silberne Götzen ihre weißen Kleider gegen die singende Brise der Ventilatoren im Zaum.

»Wir können uns nicht bewegen«, sagten sie im Chor.

Jordans Finger, ihre Bräune weiß überpudert, ruhten einen Moment lang in meinen.

»Und Mr Thomas Buchanan, der Athlet?«, erkundigte ich mich.

In derselben Sekunde hörte ich seine Stimme, schroff, gedämpft, heiser, am Telefon in der Halle.

Gatsby stand mitten auf dem karmesinroten Teppich und schaute sich fasziniert um. Daisy beobachtete ihn und lachte ihr süßes, erregendes Lachen; ein winziger Puderhauch wirbelte von ihrem Busen empor.

»Man munkelt«, flüsterte Jordan, »dass da draußen Toms Mädchen am Telefon ist.«

Wir schwiegen. Die Stimme in der Halle schwoll vor Verärgerung an: »Also schön, dann verkaufe ich Ihnen den Wagen eben nicht … Ich bin Ihnen zu nichts verpflichtet … und dass Sie mich damit zur Mittagszeit behelligen, dulde ich schon gar nicht!«

»Und hält die Hand über die Muschel«, sagte Daisy zynisch.

»Nein, tut er nicht«, versicherte ich ihr. »Das Geschäft ist echt. Ich weiß zufällig Bescheid.«

Tom stieß die Tür auf, stand mit seinem massigen Körper einen Augenblick lang formatfüllend im Rahmen und stürmte ins Zimmer.

»Mr Gatsby!« Mit wohlverborgener Abneigung streckte er seine breite, flache Hand aus. »Freut mich, Sie zu sehen, Sir … Nick …«

»Mach uns einen kalten Drink«, verlangte Daisy.

Als er das Zimmer wieder verließ, stand sie auf, ging zu Gatsby hinüber, zog sein Gesicht zu sich herunter und küsste ihn auf den Mund.

»Du weißt, dass ich dich liebe«, raunte sie.

»Du vergisst, dass eine Dame anwesend ist«, sagte Jordan.

Daisy schaute sich zweifelnd um.

»Küss du doch Nick.«

»Du unanständiges, schamloses Ding!«

»Ist mir egal!«, rief Daisy und fing an, den Kamin zu bestücken. Dann erinnerte sie sich an die Hitze und setzte sich schuldbewusst auf die Couch, gerade als eine frisch gebügelte Kinderfrau mit einem kleinen Mädchen an der Hand ins Zimmer trat.

»Herzliebster Goldschatz«, gurrte sie und breitete die Arme aus. »Komm her zu deiner Mami, die dich lieb hat.«

Als die Kinderfrau es losließ, rannte das Mädchen quer durchs Zimmer und vergrub sich schüchtern im Kleid seiner Mutter.

»Der herzliebste Goldschatz! Hat dein hübscher Blondschopf ein bisschen von Mamis Puder abbekommen? Jetzt steh auf und sag schön Guten Tag.«

Gatsby und ich beugten uns der Reihe nach hinunter und drückten die kleine, widerstrebende Hand. Danach schaute er das Kind immer wieder erstaunt an. Ich vermute, er hatte vorher nie wirklich an seine Existenz geglaubt.

»Ich bin extra hübsch gemacht worden vor dem Mittagessen«, wandte das Kind sich eifrig an Daisy.

»Das kommt daher, dass deine Mami dich vorzeigen wollte.« Ihr Gesicht schmiegte sich in das einzige Fältchen an dem kleinen, weißen Hals. »Du Traum, du. Du vollkommener kleiner Traum.«

»Ja«, sagte das Kind ruhig. »Tante Jordan hat auch ein weißes Kleid an.«

»Wie gefallen dir Mamis Freunde?« Daisy drehte das Mädchen herum, sodass es Gatsby ansehen konnte. »Findest du, sie sind hübsch?«

»Wo ist Daddy?«

»Sie sieht nicht aus wie ihr Vater«, erläuterte Daisy. »Sie sieht aus wie ich. Sie hat meine Haare und meine Gesichtsform.«

Daisy setzte sich wieder auf die Couch. Die Kinderfrau trat einen Schritt vor und streckte die Hand aus.

»Komm, Pammy.«

»Wiedersehen, meine Süße!«

Mit einem widerstrebenden Blick über die Schulter nahm das gehorsame Mädchen die Hand der Kinderfrau und wurde eben aus der Tür gezogen, als Tom zurückkam, gefolgt von vier Gin Rickeys voll klirrender Eiswürfel.

Gatsby griff nach seinem Drink.

»Die sehen allerdings kalt aus«, sagte er sichtlich angespannt.

Wir tranken in langen, gierigen Zügen.

»Irgendwo hab ich gelesen, dass die Sonne mit jedem Jahr heißer wird«, sagte Tom leutselig. »Anscheinend wird die Erde ziemlich bald in die Sonne stürzen – oder halt, Augenblick – es ist genau umgekehrt – die Sonne wird mit jedem Jahr kälter.

Kommen Sie mit nach draußen«, schlug er Gatsby vor, »ich möchte, dass Sie sich alles ansehen.«

Ich ging mit ihnen hinaus auf die Veranda. Auf dem grünen Sund, der in der Hitze unbewegt dalag, kroch ein kleines Segel langsam in Richtung des kühleren Meers. Gatsby folgte ihm einen Moment mit den Augen; dann hob er seine Hand und deutete auf die andere Seite der Bucht.

»Ich wohne Ihnen direkt gegenüber.«

»Ganz recht.«

Unsere Blicke schweiften über die Rosenbeete, den heißen Rasen und die Algenablagerungen, die sich während der Hundstage am Ufer gebildet hatten. Langsam glitten die weißen Flügel des Boots vor der kühlen blauen Grenze des Himmels dahin. Voraus lagen der gewölbte Ozean und die überreichen Inseln der Seligen.

»Das ist ein Sport«, sagte Tom und nickte. »Mit diesem Boot möchte ich mal ein, zwei Stunden da draußen sein.«

Wir aßen zu Mittag im Speisezimmer, das gegen die Hitze ebenfalls abgedunkelt war, und tranken mit dem kalten Ale nervöse Heiterkeit in uns hinein.

»Was fangen wir bloß mit uns an heute Nachmittag?«, jammerte Daisy. »Und morgen erst und in den nächsten dreißig Jahren?«

»Sei nicht so trübselig«, sagte Jordan. »Mit der Kühle im Herbst beginnt das Leben wieder von vorn.«

»Aber es ist so heiß«, beharrte Daisy, den Tränen nahe, »und alles ist so konfus. Fahren wir in die Stadt!«

Ihre Stimme kämpfte sich durch die Hitze, drosch auf sie ein, knetete ihre Sinnlosigkeit in Form.

»Vom Umbau eines Stalls in eine Garage hab ich schon gehört«, sagte Tom gerade zu Gatsby, »aber ich bin der Erste, der je eine Garage in einen Stall umgebaut hat.«

»Wer kommt mit in die Stadt?«, fragte Daisy hartnäckig. Gatsbys Blick schwebte zu ihr hin. »Ah«, rief sie, »Sie sehen so kühl aus.«

Ihre Blicke trafen sich, und so starrten sie einander an, als gäbe es nur sie beide. Mit Mühe senkte sie ihren Blick auf den Tisch.

»Sie sehen immer so kühl aus«, wiederholte sie.

Sie hatte ihm gesagt, dass sie ihn liebte, und Tom Buchanan verstand. Er war fassungslos. Sein Mund öffnete sich ein wenig, und er schaute zu Gatsby und wieder zu Daisy, als hätte er in ihr soeben jemanden wiedererkannt, dem er vor langer Zeit begegnet war.

»Sie erinnern mich an die Reklame mit diesem Mann«, fuhr sie arglos fort. »Sie kennen doch die Reklame mit diesem Mann —«

»Na schön«, unterbrach Tom sie rasch, »ich bin gerne bereit, in die Stadt zu fahren. Kommt schon – fahren wir alle in die Stadt.«

Er stand auf, seine Augen zuckten noch zwischen Gatsby und seiner Frau hin und her. Niemand rührte sich.

»Kommt schon!« Seine äußere Ruhe bekam kleine Risse. »Was ist überhaupt los? Wenn wir in die Stadt wollen, dann lasst uns gehen.«

Seine Hand, zitternd in seinem Versuch, sich zu beherrschen, führte sein Glas mit dem Rest Ale an seine Lippen. Daisys Stimme brachte uns auf die Beine und hinaus auf den glühenden Kiesweg.

»Wollen wir wirklich sofort losfahren?«, wandte sie ein. »Einfach so? Will nicht vielleicht jemand erst noch eine Zigarette rauchen?«

»Wir haben beim Mittagessen allesamt ständig geraucht.«

»Ach, lass uns lustig sein«, bat sie ihn. »Es ist zu heiß, um sich aufzuregen.«

Er antwortete nicht.

»Wie du willst«, sagte sie. »Komm, Jordan.«

Sie gingen nach oben, um sich fertig zu machen, während

wir drei Männer dastanden und mit den Füßen in den heißen Kieseln scharrten. Im Westen schwebte bereits ein silberner
Mondbogen am Himmel. Gatsby wollte etwas sagen und überlegte es sich dann anders, doch Tom wirbelte schon herum und
sah ihn erwartungsvoll an.

»Haben Sie Ihre Stallungen hier in der Nähe?«, fragte Gatsby
mit einiger Mühe.

»Ungefähr eine Viertelmeile die Straße runter.«

»Ah.«

Eine Pause.

»Ich verstehe nicht, wozu wir jetzt in die Stadt fahren«, brach
es heftig aus Tom hervor. »Nur Frauen kommen auf derart
schräge Ideen …«

»Sollen wir irgendwas zu trinken mitnehmen?«, rief Daisy
aus einem der oberen Fenster.

»Ich hole Whiskey«, antwortete Tom. Er ging hinein.

Steif drehte sich Gatsby zu mir:

»Ich bringe in seinem Haus kein Wort heraus, alter Knabe.«

»Sie hat eine indiskrete Stimme«, bemerkte ich. »Sie klingt
nach …« Ich zögerte.

»Ihre Stimme klingt nach Geld«, sagte er plötzlich.

Das war es. Ich hatte es zuvor nur nicht begriffen. Sie klang
nach Geld – das war der unerschöpfliche Zauber, mit dem sie
sich hob und senkte, das Klimpern darin, der Zimbelgesang …
Hoch oben im weißen Palast die Tochter des Königs, die gül-
dene Maid …

Tom kam aus dem Haus und wickelte eine Literflasche in
ein Handtuch, dann folgten Daisy und Jordan, jede mit einem
kleinen, eng anliegenden Hut aus metallischem Stoff auf dem
Kopf und einem leichten Cape über dem Arm.

»Fahren wir gemeinsam mit meinem Wagen?«, schlug Gatsby vor. Er befühlte die heißen, grünen Lederpolster. »Ich hätte ihn in den Schatten stellen sollen.«

»Normale Gangschaltung?«, fragte Tom.

»Ja.«

»Schön, Sie nehmen mein Coupé und lassen mich mit Ihrem Wagen in die Stadt fahren.«

Der Vorschlag war Gatsby zuwider.

»Ich glaube, er hat nicht mehr viel Benzin«, wandte er ein.

»Wird schon reichen«, sagte Tom ausgelassen. Er schaute auf die Tankanzeige. »Und wenn's doch nicht reicht, halte ich an einem Drugstore. Heutzutage bekommen Sie einfach alles im Drugstore.«

Eine Pause folgte auf diese anscheinend sinnlose Bemerkung. Daisy sah Tom stirnrunzelnd an, und ein unbestimmbarer Ausdruck, zugleich völlig fremd und vage vertraut, als hätte man ihn mir nur mit Worten beschrieben, huschte über Gatsbys Gesicht.

»Na los, Daisy«, sagte Tom und schob sie mit der Hand zu Gatsbys Wagen. »Du fährst mit mir in dieser Zirkuskutsche.«

Er öffnete die Tür, doch Daisy löste sich aus dem Griff seines Arms.

»Nimm du Nick und Jordan mit. Wir fahren euch im Coupé hinterher.«

Sie trat nahe an Gatsby heran und berührte mit ihrer Hand sein Jackett. Jordan, Tom und ich setzten uns vorne in Gatsbys Wagen, Tom probierte die ungewohnten Schaltwege durch, und dann schossen wir hinaus in die drückende Hitze und ließen die beiden außer Sichtweite hinter uns zurück.

»Habt ihr das gesehen?«, fragte Tom.

»Was gesehen?«

Er warf mir einen scharfen Blick zu und begriff, dass Jordan und ich längst Bescheid wussten.

»Ihr haltet mich wohl für ziemlich blöd, was?«, meinte er. »Möglicherweise bin ich's sogar, aber manchmal hab ich ein – eine Art zweites Gesicht, das mir sagt, was zu tun ist. Vielleicht glaubt ihr's nicht, aber die Wissenschaft …«

Er hielt inne. Die Unmittelbarkeit der Ereignisse holte ihn ein, riss ihn zurück vom Rand des theoretischen Abgrunds.

»Ich hab ein paar Nachforschungen über den Burschen angestellt«, fuhr er fort. »Ich hätte noch tiefer gegraben, wenn ich gewusst hätte –«

»Du meinst, du bist bei einem Medium gewesen?«, erkundigte sich Jordan humorig.

»Was?« Verwirrt starrte er uns an, als wir lachten. »Bei einem Medium?«

»Wegen Gatsby.«

»Wegen Gatsby! Nein, bin ich nicht. Ich sagte, ich hab ein paar Nachforschungen über seine Vergangenheit angestellt.«

»Und hast herausgefunden, dass er in Oxford studiert hat«, sagte Jordan entgegenkommend.

»In Oxford studiert!« Er war skeptisch. »Von wegen! Der Kerl trägt 'nen rosa Anzug!«

»Und trotzdem hat er in Oxford studiert.«

»Oxford, New Mexico vielleicht«, schnaubte Tom verächtlich, »oder so was Ähnliches.«

»Hör mal, Tom. Wenn du ein solcher Snob bist, warum hast du ihn dann zum Essen eingeladen?«, fragte Jordan ärgerlich.

»Daisy hat ihn eingeladen; sie kannte ihn schon vor unserer Hochzeit – weiß der Himmel, woher!«

Die Wirkung des Ales ließ allmählich nach, sodass wir nun alle etwas gereizt waren, und wir schwiegen daher eine Weile. Dann, als Doktor T. J. Eckleburgs verblasste Augen hinten an der Straße in Sicht kamen, fiel mir Gatsbys Warnung bezüglich des Benzins wieder ein.

»Wir haben genug, um in die Stadt zu kommen«, sagte Tom.

»Aber gleich hier ist doch eine Tankstelle«, entgegnete Jordan. »In dieser Bruthitze will ich nicht irgendwo liegen bleiben.«

Ungehalten stieg Tom auf beide Bremsen, und in einer Staubwolke kamen wir unter Wilsons Schild jäh zum Stehen. Kurz darauf schob sich der Eigentümer aus dem Inneren seines Geschäfts und starrte hohläugig auf den Wagen.

»Wie wär's mit ein bisschen Benzin!«, rief Tom rüde. »Was glauben Sie, wozu wir hier stehen – um die Aussicht zu genießen?«

»Bin krank«, sagte Wilson und rührte sich nicht. »Schon den ganzen Tag.«

»Was ist denn los?«

»Ich bin völlig erledigt.«

»Na, soll ich mich etwa selbst bedienen?«, fragte Tom. »Am Telefon klangen Sie doch noch ganz munter.«

Mühsam löste Wilson sich aus dem Schatten und Rückhalt des Eingangs und schraubte schwer atmend die Kappe vom Tank. Im Sonnenlicht war sein Gesicht grün.

»Ich hatte nicht vor, Sie beim Mittagessen zu stören«, sagte er. »Aber ich brauche Geld, ziemlich dringend, und ich hab mich gefragt, was nun aus Ihrem alten Wagen wird.«

»Wie finden Sie den hier?«, fragte Tom. »Hab ihn letzte Woche erstanden.«

»Schön gelb ist er«, sagte Wilson, während er sich an der Pumpe abmühte.

»Lust, ihn zu kaufen?«

»Sicher doch.« Wilson lächelte matt. »Nein, aber aus dem andern könnte ich ein bisschen was rausschlagen.«

»Wozu brauchen Sie denn so plötzlich Geld?«

»Ich bin schon zu lange hier. Ich will weg. Meine Frau und ich wollen in den Westen gehen.«

»Ihre Frau auch!«, rief Tom entgeistert.

»Sie spricht schon seit zehn Jahren davon.« Er lehnte sich für einen Augenblick an die Zapfsäule und beschattete seine Augen. »Und jetzt muss sie, ob sie will oder nicht. Ich bringe sie von hier weg.«

Das Coupé rauschte an uns vorbei, und im wirbelnden Staub blitzte kurz eine winkende Hand auf.

»Was bin ich schuldig?«, fragte Tom barsch.

»Ich hab da in den letzten zwei Tagen was spitzgekriegt«, bemerkte Wilson. »Deshalb will ich hier weg. Deshalb hab ich Sie wegen dem Wagen so gedrängt.«

»Was bin ich schuldig?«

»'n Dollar zwanzig.«

Die unbarmherzig pulsierende Hitze verwirrte mich nun allmählich, und einen Moment lang fühlte ich mich unbehaglich, ehe ich begriff, dass sein Verdacht bisher nicht auf Tom gefallen war. Er hatte entdeckt, dass Myrtle eine Art zweites Leben führte, fern von ihm in einer anderen Welt, und der Schock hatte ihn körperlich angeschlagen. Ich starrte erst ihn und dann Tom an, der kaum eine Stunde zuvor eine ebensolche Entdeckung gemacht hatte – und mir kam der Gedanke, dass kein Unterschied zwischen Menschen, gleich welcher Intelligenz oder Rasse, derart tief greifend ist wie der zwischen den Kranken und den Gesunden. Wilson war so krank, dass er schuldig wirkte, unverzeihlich schuldig – als hätte er gerade irgendein armes Mädchen mit Kind sitzen lassen.

»Sie können den anderen Wagen haben«, sagte Tom. »Ich lasse ihn morgen Nachmittag zu Ihnen bringen.«

Dieser Ort hatte stets etwas dunkel Beunruhigendes, selbst noch im helllichten Glanz des Nachmittags, und ich wandte jetzt den Kopf, als wäre ich vor etwas hinter mir gewarnt worden. Über den Aschehügeln hielten die riesigen Augen Doktor T. J. Eckleburgs ihre Wacht, doch kurz darauf bemerkte ich, dass ein zweites Augenpaar uns mit eigenartiger Intensität betrachtete, weniger als zwanzig Fuß entfernt.

In einem der Fenster über der Werkstatt waren die Vorhänge ein wenig beiseitegeschoben, und Myrtle Wilson starrte herab auf den Wagen. So versunken war sie, dass sie nicht merkte, wie sie selbst beobachtet wurde, und eine Gefühlsregung nach der andern schlich sich in ihr Gesicht wie Gegenstände in ein sich langsam entwickelndes Foto. Ihr Ausdruck war seltsam vertraut – es war ein Ausdruck, den ich schon oft auf Frauengesichtern gesehen hatte, doch auf Myrtle Wilsons Gesicht schien er grundlos und unerklärlich, bis mir klar wurde, dass ihre vor eifersüchtigem Entsetzen geweiteten Augen nicht Tom, sondern Jordan Baker fixierten, die sie für seine Frau hielt.

Keine Verwirrung gleicht der Verwirrung eines schlichten Gemüts, und als wir davonfuhren, spürte Tom die glühende Geißel der Panik. Seine Frau und seine Geliebte, bis vor einer Stunde sicher und unantastbar, entglitten jäh seiner Kontrolle. Instinktiv trat er aufs Gaspedal, in der zweifachen Absicht, Daisy einzuholen und Wilson hinter sich zu lassen, und mit fünfzig

Meilen pro Stunde rasten wir Richtung Astoria, bis unter den spinnenartigen Trägern der Hochbahn das gemächlich dahingleitende blaue Coupé in Sichtweite kam.

»In den großen Kinos rund um die Fünfzigste Straße ist es kühl«, bemerkte Jordan. »Ich liebe New York an Sommernachmittagen, wenn alle fort sind. Es wirkt dann irgendwie sinnlich – überreif, als würden dir gleich alle möglichen komischen Früchte einfach so in die Hände fallen.«

Das Wort »sinnlich« versetzte Tom in noch größere Unruhe, doch ehe er sich einen Einwand ausdenken konnte, kam das Coupé zum Stehen, und Daisy signalisierte uns, neben ihnen zu halten.

»Wo fahren wir hin?«, rief sie.

»Wie wär's mit dem Kino?«

»Es ist so heiß«, klagte sie. »Geht ihr nur. Wir fahren spazieren und treffen euch später.« Mühsam regte sich schwach ihr Witz: »Wir treffen euch dann an irgendeiner Ecke. Ich bin der Mann, der zwei Zigaretten raucht.«

»Hier können wir das wohl kaum diskutieren«, sagte Tom ungehalten, als ein Lastwagen hinter uns fluchend hupte. »Fahrt hinter mir her bis zur Südseite des Central Park, die Zufahrt zum Plaza.«

Mehrmals blickte er über die Schulter zurück zu ihrem Wagen, und wenn der Verkehr sie aufhielt, fuhr er langsamer, bis er sie wieder sehen konnte. Ich glaube, er hatte Angst, sie würden mit Vollgas in eine Seitenstraße einbiegen und für immer aus seinem Leben verschwinden.

Aber das taten sie nicht. Und so kamen wir alle gemeinsam auf die weniger plausible Idee, uns das Gesellschaftszimmer einer Suite im Plaza Hotel zu mieten.

Von der recht langen und hitzigen Streiterei, die uns letztes Endes in jenem Zimmer zusammenpferchte, ist mir nichts im Gedächtnis geblieben, obwohl ich noch eine deutliche Erinnerung an das Gefühl habe, dass mir derweil meine Unterwäsche wie eine feuchte Schlange die Beine hinaufkroch und mir von Zeit zu Zeit Schweißperlen den Rücken hinunterrannen. Den Anstoß gab Daisys Vorschlag, fünf Badezimmer zu mieten und kalte Bäder zu nehmen, der dann als »Ort, an dem wir Mint Julep bekommen« etwas realistischere Form annahm. Jeder von uns sagte wieder und wieder, es sei eine »verrückte Idee« – wir redeten alle gleichzeitig auf den verdutzten Empfangschef ein und hielten uns, oder hielten uns vorgeblich, für außerordentlich komisch …

Der Raum war groß und stickig, und obwohl es bereits vier Uhr war, drang beim Öffnen der Fenster nur ein Schwall heißer Luft aus den Büschen des Parks herein. Daisy ging zum Spiegel, stand dort mit dem Rücken zu uns und richtete sich das Haar.

»Eine stinkvornehme Suite ist das«, flüsterte Jordan respektvoll, und alle lachten.

»Mach noch ein Fenster auf«, kommandierte Daisy, ohne sich umzudrehen.

»Es gibt keins mehr.«

»Na schön, rufen wir unten an und fragen nach einer Axt …«

»Am besten schert man sich einfach nicht um die Hitze«, sagte Tom ungeduldig. »Mit deiner ständigen Nörgelei machst du's nur zehnmal schlimmer.«

Er wickelte die Flasche Whiskey aus dem Handtuch und stellte sie auf den Tisch.

»Lassen Sie sie doch einfach in Ruhe, alter Knabe«, sagte Gatsby. »Sie waren es doch, der in die Stadt fahren wollte.«

Einen Augenblick lang war es still. Das Telefonbuch rutschte von seinem Nagel und klatschte auf den Boden, worauf Jordan flüsterte: »Oh, Verzeihung« – doch dieses Mal lachte niemand.

»Ich heb's auf«, bot ich an.

»Hab's schon.« Gatsby besah sich die zertrennte Schnur, murmelte ein interessiertes »Hm!« und warf das Buch auf einen Stuhl.

»Das ist wohl ein Lieblingsausdruck von Ihnen, was?«, sagte Tom scharf.

»Was denn?«

»Dieses ständige ›alter Knabe‹. Wo haben Sie das eigentlich aufgeschnappt?«

»Jetzt hör mal zu, Tom«, sagte Daisy und kehrte dem Spiegel den Rücken, »wenn du hier beleidigend werden willst, bleibe ich keine Minute länger. Ruf unten an und bestell Eis für den Mint Julep.«

Als Tom den Hörer abnahm, entlud sich die zäh verdichtete Hitze in Klängen, und wir lauschten den schwergewichtigen Akkorden von Mendelssohns Hochzeitsmarsch aus dem Ballsaal unter uns.

»Stellt euch vor, bei dieser Hitze zu heiraten!«, rief Jordan gequält.

»Na ja – meine Hochzeit war mitten im Juni«, erinnerte Daisy sie, »Louisville im Juni! Irgendwer wurde ohnmächtig. Wer war noch der Ohnmächtige, Tom?«

»Biloxi«, antwortete er knapp.

»Ein Mann namens Biloxi. ›Blocks‹ Biloxi, und er stellte Boxen her – kein Scherz – und kam aus Biloxi, Tennessee.«

»Sie trugen ihn dann zu mir nach Hause«, fügte Jordan hinzu, »weil wir von der Kirche aus nur zwei Türen weiter wohnten.

Und er blieb drei Wochen, bis Daddy ihm sagte, er solle verschwinden. Am Tag danach ist Daddy gestorben.« Kurz darauf ergänzte sie: »Es gab da aber keinen Zusammenhang.«

»Ich kannte mal einen Bill Biloxi aus Memphis«, warf ich ein.

»Das war sein Vetter. Als er ging, kannte ich seine ganze Familiengeschichte. Er hat mir einen Putter aus Aluminium geschenkt, den ich noch heute benutze.«

Die Musik war verstummt, die Zeremonie fing an, und durch das Fenster drang langer Beifall herein, gefolgt von vereinzelten »Jaa-ha-ha!«-Rufen und schließlich einer plötzlichen Salve Jazz, als der Tanz begann.

»Wir werden alt«, sagte Daisy. »Wenn wir jung wären, würden wir aufstehen und tanzen.«

»Denk an Biloxi«, mahnte Jordan. »Woher kanntest du ihn, Tom?«

»Biloxi?« Er überlegte angestrengt. »Ich kannte ihn gar nicht. Er war ein Bekannter von Daisy.«

»War er nicht«, entgegnete sie. »Ich hatte ihn noch nie gesehen. Er kam mit euch im Privatzug runter.«

»Tja, er hat behauptet, dich zu kennen. Und dass er in Louisville aufgewachsen sei. Asa Bird hat ihn in letzter Minute angeschleppt und gefragt, ob wir noch Platz für ihn hätten.«

Jordan lächelte.

»Wahrscheinlich hat er sich so seine Heimfahrt erschwindelt. Mir hat er erzählt, er sei Präsident eures Jahrgangs in Yale gewesen.«

Tom und ich sahen uns verblüfft an.

»*Biloxi?*«

»Also erstens hatten wir gar keinen Präsidenten …«

Gatsby klopfte mit dem Fuß ein rastloses Stakkato, und plötzlich sah Tom ihm direkt ins Gesicht.

»Übrigens, Mr Gatsby, ich höre, Sie haben in Oxford studiert.«

»Nicht ganz.«

»O doch, ich höre, Sie waren in Oxford.«

»Ja – ich war dort.«

Eine Pause. Dann Toms Stimme, ungläubig und unverschämt:

»Da waren Sie wohl ungefähr um dieselbe Zeit dort, zu der Biloxi in New Haven war.«

Eine weitere Pause. Ein Kellner klopfte und kam mit zerstoßenem Eis und Minze herein, doch sein »Danke sehr« und das leise Schließen der Tür vermochten das Schweigen nicht zu durchbrechen. Jenes unerhörte Detail sollte nun endlich geklärt werden.

»Ich sagte Ihnen schon, ich war dort«, wiederholte Gatsby.

»Ich hab's gehört, aber ich wüsste gern, wann.«

»Es war neunzehnneunzehn, ich blieb nur fünf Monate. Das reicht eigentlich nicht, um sagen zu können, ich hätte in Oxford studiert.«

Tom warf einen Blick in die Runde, um zu sehen, ob wir seinen Unglauben teilten. Doch wir alle schauten auf Gatsby.

»Es war ein Angebot, das man einigen der Offiziere nach dem Waffenstillstand machte«, fuhr er fort. »Wir durften uns eine beliebige Universität in England oder Frankreich aussuchen.«

Ich wäre gern aufgestanden und hätte ihm auf die Schulter geklopft. Mein vorbehaltloses Vertrauen in ihn war mit einem Mal wiederhergestellt, so wie ich es schon früher erlebt hatte.

Daisy erhob sich mit einem leisen Lächeln und ging zum Tisch.

»Mach den Whiskey auf, Tom«, befahl sie, »dann mixe ich dir einen Mint Julep. Damit du dir nicht mehr so dumm vorkommst … Seht euch die Minze an!«

»Augenblick«, blaffte Tom, »ich will Mr Gatsby noch eine Frage stellen.«

»Nur zu«, sagte Gatsby höflich.

»Welche Art Streit versuchen Sie in meinem Haus eigentlich vom Zaun zu brechen?«

Sie spielten zu guter Letzt mit offenen Karten, und Gatsby war es ganz recht.

»Er bricht keinen Streit vom Zaun.« Daisy blickte verzweifelt vom einen zum andern. »Du brichst den Streit vom Zaun. Nimm dich bitte ein bisschen zusammen.«

»Zusammennehmen!«, wiederholte Tom ungläubig. »Das soll wohl der letzte Schrei sein, dass ich mich zurücklehne und lässig zusehe, wie Mr Irgendwer aus Irgendwo mit meiner Frau schläft. Tja, wenn das die Idee ist, da mach ich nicht mit … Heutzutage spötteln die Leute übers Familienleben und die Familienbräuche, und als Nächstes werfen sie alles über Bord und erlauben die Mischehe zwischen Schwarzen und Weißen.«

Aufgewühlt vom eigenen leidenschaftlichen Geschwätz wähnte er sich allein am letzten Grenzposten der Zivilisation.

»Wir hier sind alle weiß«, murmelte Jordan.

»Mir ist klar, dass ich nicht sonderlich beliebt bin. Ich gebe ja keine großen Partys. Vermutlich muss man das eigene Haus zum Schweinestall machen, um zumindest ein paar Freunde zu haben – in der modernen Welt.«

So verärgert ich war, wie wir alle waren, so sehr musste ich mir doch das Lachen verkneifen, sobald er den Mund aufmachte. Die Wandlung vom Freigeist zum Tugendbold war arg kategorisch.

»Jetzt sage ich *Ihnen* mal etwas, alter Knabe –«, setzte Gatsby an. Doch Daisy erriet, was ihm vorschwebte.

»Bitte tu's nicht!«, ging sie hilflos dazwischen. »Bitte lasst uns alle einfach nach Hause gehen. Warum gehen wir nicht einfach nach Hause?«

»Das ist eine gute Idee.« Ich stand auf. »Komm schon, Tom. Keiner hat Lust auf einen Drink.«

»Ich will wissen, was Mr Gatsby mir zu sagen hat.«

»Ihre Frau liebt Sie nicht«, sagte Gatsby. »Sie hat Sie niemals geliebt. Sie liebt mich.«

»Sie sind wohl übergeschnappt!«, entfuhr es Tom mechanisch.

Gatsby sprang auf, bebend vor Erregung.

»Sie hat Sie niemals geliebt, hören Sie?«, rief er. »Sie hat Sie nur geheiratet, weil ich arm war und sie nicht länger auf mich warten wollte. Es war ein schrecklicher Fehler, aber in ihrem Herzen hat sie nie einen andern geliebt als mich!«

An diesem Punkt machten Jordan und ich Anstalten zu gehen, aber Tom und Gatsby, einer beharrlicher als der andere, bestanden darauf, dass wir blieben – als hätten beide nichts zu verbergen und als wäre es eine Ehre, so direkt an ihrem Gefühlsleben teilzuhaben.

»Setz dich, Daisy.« Toms Stimme tastete vergebens nach einem väterlichen Ton. »Was geht hier vor? Ich möchte alles wissen.«

»Ich habe Ihnen gesagt, was hier vor sich geht«, sagte Gatsby. »Schon seit fünf Jahren vor sich geht – und Sie wussten es nicht.«

Tom wandte sich brüsk an Daisy.

»Du triffst dich mit diesem Kerl seit fünf Jahren?«

»Das nicht«, sagte Gatsby. »Nein, treffen konnten wir uns nicht. Aber in dieser ganzen Zeit haben wir uns geliebt, alter Knabe, und Sie wussten es nicht. Manchmal musste ich lachen« – doch da war kein Lachen in seinen Augen – »wenn ich daran dachte, dass Sie es nicht wussten.«

»Oh – das ist also alles.« Tom klopfte priesterlich seine dicken Finger aneinander und lehnte sich in seinem Stuhl zurück.

»Sie sind übergeschnappt!« Er explodierte. »Ich kann nichts dazu sagen, was vor fünf Jahren passiert ist, da kannte ich Daisy nämlich noch nicht – und der Teufel soll mich holen, wenn Sie's damals auch nur bis auf eine Meile in ihre Nähe geschafft haben, es sei denn, Sie hatten an der Hintertür Einkäufe abzuliefern. Aber der Rest von diesem Gewäsch ist eine gottverdammte Lüge. Daisy hat mich geliebt, als sie mich geheiratet hat, und sie liebt mich jetzt.«

»Nein«, sagte Gatsby und schüttelte den Kopf.

»O doch. Das Problem ist nur, dass sie manchmal auf dumme Gedanken kommt und dann nicht weiß, was sie tut.« Er nickte weise. »Und was noch wichtiger ist, ich liebe Daisy auch. Ab und an schlage ich zwar über die Stränge und benehme mich wie ein Idiot, aber ich komme immer zurück, und tief in meinem Herzen liebe ich immer nur sie.«

»Du bist abstoßend«, sagte Daisy. Sie drehte sich zu mir, und ihre Stimme, die nun eine Oktave tiefer sank, füllte den Raum mit bebender Verachtung: »Weißt du, warum wir weggezogen sind aus Chicago? Ich bin überrascht, dass sie dir die Geschichte dieses kleinen Schlags über die Stränge nicht erzählt haben.«

Gatsby ging zu ihr hinüber und stellte sich neben sie.

»Daisy, das alles ist jetzt vorbei«, sagte er ernst. »Es spielt keine Rolle mehr. Sag ihm einfach die Wahrheit – dass du ihn nie geliebt hast – und alles ist für immer ausgelöscht.«

Blind sah sie ihn an. »Oh – wie konnte ich ihn bloß je – jemals lieben?«

»Du hast ihn niemals geliebt.«

Sie zögerte. Ihr Blick fiel auf Jordan und mich in einer Art dringlicher Bitte, als würde ihr jetzt erst bewusst, was sie da gerade tat – und als hätte sie die ganze Zeit über eigentlich nie irgendetwas tun wollen. Doch es war schon getan. Es war zu spät.

»Ich habe ihn nie geliebt«, sagte sie mit spürbarem Widerstreben.

»Nicht mal im Kapiolani?«, fragte Tom plötzlich.

»Nein.«

Vom Ballsaal schwebten gedämpfte, erstickte Akkorde auf Wellen heißer Luft zu uns herauf.

»Auch nicht an dem Tag, als ich dich den Weg hinunter vom Punch Bowl getragen habe, damit deine Schuhe nicht nass wurden?« In seinem Ton schwang eine raue Zärtlichkeit … »Daisy?«

»Bitte nicht.« Ihre Stimme war kalt, aber der Groll darin war verschwunden. Sie sah Gatsby an. »Ach, Jay«, sagte sie – doch die Hand, mit der sie versuchte, sich eine Zigarette anzuzünden, zitterte. Plötzlich warf sie die Zigarette und das brennende Streichholz auf den Teppich.

»Oh, du verlangst zu viel!«, schrie sie Gatsby an. »Ich liebe dich jetzt – reicht das nicht? Ich kann nicht ändern, was war.« Sie begann hilflos zu schluchzen. »Ich habe ihn einmal geliebt – aber dich hab ich auch geliebt.«

Gatsbys Augen öffneten, schlossen sich.

»Du hast mich *auch* geliebt?«, wiederholte er.

»Selbst das ist gelogen«, sagte Tom grimmig. »Sie wusste ja nicht mal, dass Sie noch lebten. Herrje – es gibt Dinge zwischen Daisy und mir, von denen Sie nie erfahren werden, Dinge, die keiner von uns je vergessen kann.«

Die Worte schienen sich in Gatsbys Fleisch zu graben.

»Ich möchte allein mit Daisy sprechen«, forderte er. »Sie ist jetzt zu aufgewühlt –«

»Auch allein mit dir kann ich nicht sagen, ich hätte Tom nie geliebt«, gestand sie mit kläglicher Stimme. »Es wäre nicht wahr.«

»Natürlich nicht«, bekräftigte Tom.

Sie wandte sich an ihren Mann.

»Als würde dir das etwas bedeuten«, sagte sie.

»Natürlich tut es das. Von jetzt an werde mich besser um dich kümmern.«

»Sie haben es noch nicht begriffen«, sagte Gatsby in einem Anflug von Panik. »Sie werden sich nie wieder um sie kümmern.«

»Ach nein?« Tom riss die Augen auf und lachte. Jetzt konnte er es sich leisten, sich zusammenzunehmen. »Wieso nicht?«

»Daisy wird Sie verlassen.«

»Unsinn.«

»Doch, das werde ich«, sagte sie mit sichtlicher Anstrengung.

»Sie wird mich nicht verlassen!« Toms Worte wölbten sich plötzlich weit über Gatsby. »Schon gar nicht für einen gemeinen Schwindler, der den Ring, den er ihr anstecken will, erst stehlen muss.«

»Ich ertrage das nicht!«, schrie Daisy. »Oh, bitte lasst uns gehen.«

»Wer sind Sie überhaupt?«, polterte Tom. »Sie gehören doch zu diesem Haufen, der um Meyer Wolfshiem herumstreunt – so viel weiß ich schon. Ich hab ein paar Nachforschungen über Ihre Geschäfte angestellt – und gleich morgen werd ich noch tiefer graben.«

»Tun Sie, was Sie nicht lassen können, alter Knabe«, sagte Gatsby unbeeindruckt.

»Ich hab rausgefunden, was es mit Ihren ›Drugstores‹ auf sich hat.« Er wandte sich an uns, sprach überstürzt. »Er und dieser Wolfshiem haben hier und in Chicago eine Menge kleiner Drugstores aufgekauft und rezeptfrei Äthylalkohol verhökert. Und das ist nur eins seiner Kunststückchen. Als ich ihn zum ersten Mal sah, hielt ich ihn für einen Alkoholschmuggler, und so ganz falsch lag ich damit nicht.«

»Wo ist das Problem?«, fragte Gatsby höflich. »Ihr Freund Walter Chase war sich offenbar nicht zu schade, mit einzusteigen.«

»Und als es brenzlig wurde, haben Sie ihn im Stich gelassen, oder etwa nicht? Sie haben ihn drüben in New Jersey einfach für einen Monat in den Knast wandern lassen. Gott! Sie sollten mal hören, wie Walter über *Sie* spricht.«

»Er war völlig blank, als er zu uns kam. Und sehr froh, ein bisschen Geld machen zu können, alter Knabe.«

»Nennen Sie mich nicht ›alter Knabe‹!«, fuhr Tom ihn an. Gatsby sagte nichts. »Walter könnte Sie auch mit den Wettvorschriften drankriegen, aber Wolfshiem hat ihn derart eingeschüchtert, dass er den Mund hält.«

Der fremde und dennoch vertraute Ausdruck zeigte sich wieder auf Gatsbys Gesicht.

»Bei dieser Drugstore-Sache ging's nur um Kleingeld«, fuhr

Tom bedächtig fort, »aber jetzt haben Sie da was laufen, wovon Walter mir aus Angst nichts erzählen will.«

Ich schaute flüchtig zu Daisy, deren entsetzter Blick zwischen Gatsby und ihrem Mann hin- und herzuckte, und zu Jordan, die begonnen hatte, einen unsichtbaren, aber fesselnden Gegenstand auf ihrer Kinnspitze zu balancieren. Dann wandte ich mich wieder Gatsby zu – und erschrak angesichts seiner Miene. Er sah aus – und dies sage ich bei aller Verachtung für das verleumderische Geschwätz in seinem Garten –, als hätte er »jemanden umgebracht«. Für einen Moment hätte man seinen Gesichtsausdruck in genau dieser abstrusen Weise beschreiben können.

Der Moment verging, und Gatsby fing an, erregt auf Daisy einzureden, alles zu leugnen und seinen Namen gegen Anschuldigungen zu verteidigen, die niemand erhoben hatte. Doch mit jedem seiner Worte zog sie sich mehr und mehr in sich zurück, sodass er es sein ließ, und während der Nachmittag sich davonstahl, kämpfte nur der tote Traum weiter, versuchte, an etwas zu rühren, das nicht mehr greifbar war, und rang unglücklich, unerschütterlich um jene verlorene Stimme am anderen Ende des Raums.

Die Stimme flehte wieder darum zu gehen.

»*Bitte*, Tom! Ich halte das nicht mehr aus.«

Ihr angstvoller Blick verriet, dass alle Absichten und aller Mut, die sie gehabt haben mochte, restlos dahin waren.

»Ihr beide fahrt jetzt nach Hause, Daisy«, sagte Tom. »Mit Mr Gatsbys Wagen.«

Sie sah Tom an, aufs Neue beunruhigt, doch er bestand darauf mit spöttischer Großmut.

»Geh nur. Er wird dich in Ruhe lassen. Ich denke, er hat begriffen, dass sein anmaßender kleiner Flirt zu Ende ist.«

Sie waren fort, ohne ein Wort, ausgeknipst, nebensächlich geworden, abgesondert, wie Geister, selbst noch von unserem Mitleid.

Nach einer Weile stand Tom auf und begann die ungeöffnete Whiskeyflasche in das Handtuch zu wickeln.

»Wollt ihr was von dem Zeug? Jordan? ... Nick?«

Ich antwortete nicht.

»Nick?« Er fragte noch einmal.

»Was?«

»Willst du?«

»Nein ... Mir ist nur gerade eingefallen, dass ich heute Geburtstag habe.«

Ich war dreißig. Vor mir lag die unheilvolle, bedrohliche Strecke eines neuen Jahrzehnts.

Es war sieben Uhr, als wir mit ihm in das Coupé stiegen und uns auf den Weg nach Long Island machten. Tom redete unaufhörlich, jubilierte, lachte, doch seine Stimme war Jordan und mir so fern wie das fremde Lärmen auf den Gehwegen oder das Gepolter der Hochbahn über unseren Köpfen. Menschliches Mitgefühl hat seine Grenzen, und bereitwillig ließen wir all ihre tragischen Streitigkeiten mit den Stadtlichtern hinter uns verblassen. Dreißig – das verhieß ein Jahrzehnt der Einsamkeit, verhieß weniger Junggesellen im Bekanntenkreis, weniger Raum für Leidenschaften, weniger Haare. Doch da war Jordan neben mir, die, anders als Daisy, zu klug war, um je wohlvergessene Träume von einem Lebensabschnitt in den andern zu tragen. Als wir die dunkle Brücke passierten, sank ihr fahles Gesicht träge auf das Schulterpolster meines Jacketts, und der gewaltige Schock der Dreißig verging mit dem beruhigenden Druck ihrer Hand.

So fuhren wir weiter dem Tod entgegen durch das kühler werdende Dämmerlicht.

Der junge Grieche Michaelis, der das Imbisscafé neben den Aschehügeln betrieb, war der Hauptzeuge bei der Untersuchung. Er hatte die Hitze bis nach fünf verschlafen, war dann zur Autowerkstatt hinübergeschlendert und hatte George Wilson krank in seinem Büro vorgefunden – wirklich krank, bleich wie sein bleiches Haar und am ganzen Leib zitternd. Michaelis riet ihm, sich ins Bett zu legen, doch Wilson weigerte sich und sagte, ihm würden sonst zu viele Geschäfte entgehen. Während sein Nachbar ihn noch zu überzeugen versuchte, brach über ihnen ein heftiger Radau los.

»Ich hab meine Frau oben eingesperrt«, erklärte Wilson ruhig. »Da bleibt sie bis übermorgen, und dann ziehen wir von hier weg.«

Michaelis wunderte sich; seit vier Jahren waren sie nun Nachbarn, und Wilson hatte niemals den Eindruck gemacht, zu solch einer Erklärung fähig zu sein. Im Großen und Ganzen war er einer dieser ausgelaugten Männer: Wenn er nicht arbeitete, saß er auf einem Stuhl im Eingang und starrte auf die Leute und Autos, die die Straße entlangkamen. Wann immer ihn jemand ansprach, lachte er auf eine liebenswürdige, farblose Art. Er gehörte ganz seiner Frau, nicht sich selbst.

Also versuchte Michaelis natürlich herauszufinden, was passiert war, aber Wilson wollte nichts sagen – stattdessen begann er, seltsame, argwöhnische Blicke auf seinen Besucher zu richten und ihn zu fragen, was er zu der und der Stunde an dem und dem Tag getan habe. Gerade als Letzterer allmählich unruhig wurde, kamen einige Arbeiter an der Tür vorbei, die in sein Lokal wollten, und Michaelis nutzte die Gelegenheit, sich davonzumachen, nahm sich aber vor, später zurückzukommen. Doch das tat er nicht. Er habe es ganz einfach vergessen, gab er an. Als er um kurz nach sieben erneut nach draußen trat, fiel ihm das Gespräch wieder ein, denn er hörte Mrs Wilsons Stimme, laut und zeternd, unten in der Werkstatt.

»Schlag mich doch!«, hörte er sie kreischen. »Stoß mich doch um und schlag mich, du dreckiger kleiner Feigling!«

Im nächsten Augenblick stürzte sie hinaus in die Dämmerung, schreiend und wild gestikulierend – und ehe er sich auch nur vom Fleck rühren konnte, war alles vorbei.

Der »Todeswagen«, wie er in den Zeitungen hieß, hielt nicht an; er kam aus der zunehmenden Dunkelheit, schlingerte einen Moment unheilvoll und verschwand hinter der nächsten Kurve. Michaelis war sich nicht einmal sicher, welche Farbe er hatte – dem ersten Polizisten sagte er, er sei hellgrün gewesen. Das andere Auto, das Richtung New York unterwegs war, kam nach rund hundert Metern zum Stillstand, und sein Fahrer hastete zurück zu der Stelle, wo Myrtle Wilson, ihr Leben gewaltsam ausgelöscht, mitten auf der Straße auf ihren Knien lag und ihr dickes dunkles Blut mit dem Staub vermischte.

Michaelis und dieser Mann waren als Erste bei ihr, doch als sie ihr die immer noch schweißfeuchte Hemdbluse aufgerissen hatten, sahen sie, dass ihre linke Brust lose herunterhing wie ein Lappen und es überflüssig war, nach dem Herzschlag darunter zu horchen. Ihr Mund war weit geöffnet und an den Winkeln leicht eingerissen, als hätte sie ein wenig daran gewürgt, die ungeheure Vitalität aufzugeben, die sie so lange in sich bewahrt hatte.

Wir sahen die drei oder vier Automobile und die Menschenansammlung schon aus einiger Entfernung.

»Blechschaden!«, sagte Tom. »Gut so. Da hat Wilson endlich ein bisschen Arbeit.«

Er fuhr langsamer, ohne die Absicht anzuhalten, bis wir näher heran waren und ihn die stillen, angespannten Gesichter der Leute an der Werkstatttür automatisch auf die Bremse treten ließen.

»Wir sehen uns das mal an«, sagte er unsicher, »nur ganz kurz.«

Ich bemerkte jetzt ein hohl tönendes, wimmerndes Geräusch, das unausgesetzt aus der Werkstatt drang, Laute, die sich, während wir aus dem Coupé stiegen und auf die Tür zugingen, in die Worte »O mein Gott!« auflösten, wieder und wieder keuchend hervorgepresst.

»Hier ist irgendwas Übles passiert«, sagte Tom aufgeregt.

Er stellte sich auf die Zehenspitzen und spähte über einen Kreis aus Köpfen hinweg in die Werkstatt, die nur von einem gelben Licht in einem von der Decke baumelnden Drahtkorb beleuchtet wurde. Dann drang ein heiserer Laut aus seiner Kehle, und mit heftigen Stößen seiner mächtigen Arme wühlte er sich durch die Umstehenden.

Unter allseits empörtem Gemurmel schloss sich der Kreis wieder; eine Minute verstrich, ehe ich überhaupt etwas sehen konnte. Dann drängten Neuankömmlinge in die Reihen und Jordan und ich wurden plötzlich in die Mitte geschoben.

Myrtle Wilsons Leiche, eingewickelt erst in eine, dann in eine zweite Decke, als litte sie in der heißen Nacht unter Schüttelfrost, lag auf einer Werkbank an der Wand, und Tom, mit dem Rücken zu uns, beugte sich über sie, regungslos. Neben ihm stand ein Motorradpolizist und kritzelte mit viel Schweiß und Mühe Namen in ein kleines Buch. Zuerst konnte ich die Quelle der schrillen, hervorgepressten Worte, die laut durch die kahle Werkstatt hallten, nicht ausmachen – dann sah ich Wilson, der auf der leicht erhöhten Schwelle seines Büros stand und sich hin- und herwiegte, während er sich mit beiden Händen an den Türpfosten festhielt. Ein Mann sprach mit leiser Stimme auf ihn ein und versuchte von Zeit zu Zeit, ihm eine Hand auf die Schulter zu legen, doch Wilson hörte und sah nichts. Sein Blick sank immer wieder langsam von der schaukelnden Lampe auf die beladene Werkbank an der Wand und zuckte dann zur Lampe zurück, und unaufhörlich ertönte sein schriller, schrecklicher Ruf:

»O mein Go-ott! O mein Go-ott! O Go-ott! O mein Go-ott!«

Ruckartig hob Tom jetzt seinen Kopf, und nachdem er sich mit glasigem Blick in der Werkstatt umgeschaut hatte, richtete er eine genuschelte, unverständliche Bemerkung an den Polizisten.

»M-a-v-…«, sagte der Polizist gerade, »-o-…«

»Nein, r-«, berichtete der Mann, »M-a-v-r-o-…«

»Hören Sie mir zu!«, murrte Tom grimmig.

»r-…«, sagte der Polizist, »-o-…«

»g-…«

»g-…« Er schaute auf, als Toms breite Hand ihm hart auf die Schulter fiel. »Was gibt's, Mann?«

»Was passiert ist, will ich wissen.«

»Vom Auto überfahrn. Sofort tot.«

»Sofort tot«, wiederholte Tom mit starrem Blick.

»Sie is raus auf die Straße gelaufen. Der Dreckskerl hat nich mal angehalten.«

»Da war'n zwei Autos«, sagte Michaelis, »eins hier lang, eins da lang, verstehn Se?«

»Wo lang genau?«, fragte der Polizist scharfsinnig.

»Na, eins in jede Richtung. Tja, und sie« – seine Hand hob sich in Richtung der Decken, hielt auf halbem Weg jedoch inne und fiel zurück an seine Seite – »sie rennt da raus, und das eine, das von N'York kommt, knallt mit dreißig, vierzig Meilen die Stunde direkt in sie rein.«

»Wie heißt der Ort hier?«, wollte der Beamte wissen.

»Hat keinen Namen.«

Ein hellhäutiger, gut gekleideter Neger trat näher.

»Es war ein gelber Wagen«, sagte er, »ein großer gelber Wagen. Neu.«

»Sie haben den Unfall gesehn?«, fragte der Polizist.

»Nein, aber der Wagen ist die Straße runter an mir vorbeigerauscht, schneller als vierzig. Bestimmt fünfzig, sechzig.«

»Kommen Sie her, ich brauch Ihren Namen. Achtung jetzt. Ich will seinen Namen.«

Einige Fetzen dieses Gesprächs waren offenbar zu Wilson, der sich noch immer in der Bürotür wiegte, durchgedrungen, denn plötzlich mischte sich der Klang eines neuen Themas in seine erstickten Schreie:

»Ihr braucht mir nicht sagen, was für'n Wagen das war! Ich weiß, was für'n Wagen das war!«

Ich beobachtete Tom und sah, wie sich unter seinem Jackett das Muskelpaket an seinem Schulterblatt straffte. Er marschierte zu Wilson hinüber, baute sich direkt vor ihm auf und packte ihn hart bei den Oberarmen.

»Sie müssen sich zusammenreißen«, sagte er mit besänftigender Schroffheit.

Wilsons Blick fiel auf Tom; er wollte sich auf die Zehenspitzen stellen, wäre dabei aber sicher zusammengeklappt, hätte Tom ihn nicht aufrecht gehalten.

»Hören Sie zu«, sagte Tom und schüttelte ihn ein wenig. »Ich bin erst vor einer Minute hier angekommen, aus New York. Ich wollte Ihnen dieses Coupé bringen, über das wir gesprochen haben. Der gelbe Wagen, mit dem ich heute Nachmittag gefahren bin, das ist nicht meiner – verstehen Sie? Ich hab ihn den ganzen Nachmittag nicht gesehen.«

Nur der Neger und ich waren nahe genug, um zu hören, was Tom sagte, aber der Polizist registrierte wohl etwas in seinem Tonfall und schaute grimmig herüber.

»Was ist da los?«, fragte er herrisch.

»Ich bin ein Freund von ihm.« Tom wandte den Kopf, behielt Wilsons Körper jedoch fest im Griff. »Er sagt, er kennt das Unfallauto … es war ein gelber Wagen.«

Aus irgendeinem trüben Impuls heraus schaute der Polizist Tom argwöhnisch an.

»Und was für 'ne Farbe hat Ihr Auto?«

»Es ist ein blauer Wagen, ein Coupé.«

»Wir sind direkt aus New York gekommen«, sagte ich.

Jemand, der in Sichtweite hinter uns hergefahren war, bestätigte dies, und der Polizist wandte sich ab.

»Also, wenn Sie mir jetzt noch mal Ihren Namen korrekt …«

Tom hob Wilson wie eine Puppe hoch, trug ihn ins Büro, setzte ihn auf einen Stuhl und kam zurück.

»Kann bitte mal jemand herkommen und sich zu ihm setzen«, blaffte er gebieterisch. Er wartete so lange, bis die beiden Männer, die am nächsten standen, einen Blick wechselten und widerwillig in den Raum gingen. Dann schloss Tom hinter ihnen die Tür, kam die Stufe herunter und vermied dabei den Blick zur Werkbank. Als er dicht an mir vorbeiging, flüsterte er: »Verschwinden wir hier.«

Selbstbewusst bahnte er uns mit seinen gebieterischen Armen den Weg durch die noch immer wachsende Menge, vorbei an einem gehetzten Arzt mit Arzneikoffer, den man in wilder Hoffnung vor einer halben Stunde gerufen hatte.

Tom fuhr langsam, bis die Biegung hinter uns lag – dann trat er das Gaspedal durch, und das Coupé raste durch die Nacht dahin. Nach einer Weile hörte ich ein leises, heiseres Schluchzen und sah, dass die Tränen in Strömen über sein Gesicht rannen.

»Dieser gottverdammte Feigling!«, wimmerte er. »Er hat nicht mal angehalten.«

Das Haus der Buchanans trieb plötzlich durch die dunklen, raschelnden Bäume auf uns zu. Tom hielt neben der Veranda und sah hinauf zum zweiten Stock, wo zwischen den Reben zwei Fenster in hellem Licht erstrahlten.

»Daisy ist zu Hause«, sagte er. Als wir aus dem Wagen stiegen, warf er mir einen Blick zu und runzelte leicht die Stirn.

»Ich hätte dich in West Egg absetzen sollen, Nick. Heute Nacht können wir ohnehin nichts mehr tun.«

Eine Veränderung war mit ihm vorgegangen, und er sprach ernst und mit Entschlusskraft. Als wir über den mondbeschienenen Kiesweg zur Veranda gingen, bestimmte er mit ein paar knappen Sätzen die Sachlage.

»Ich rufe dir ein Taxi, das dich nach Hause bringt, und während du wartest, gehst du mit Jordan am besten in die Küche, dort lasst ihr euch etwas zu essen geben – wenn ihr wollt.« Er öffnete die Tür. »Kommt rein.«

»Nein, danke. Aber ich wäre froh, wenn du mir das Taxi bestellen würdest. Ich warte draußen.«

Jordan legte mir eine Hand auf den Arm.

»Willst du nicht reinkommen, Nick?«

»Nein, danke.«

Mir war ein wenig übel, und ich wollte allein sein. Doch Jordan zögerte noch einen Augenblick.

»Es ist erst halb zehn«, sagte sie.

Um keinen Preis wäre ich mit hineingegangen; für diesen Tag hatte ich genug von ihnen allen, und plötzlich schloss das auch Jordan mit ein. Etwas von dieser Regung las sie mir wohl am Gesicht ab, denn abrupt drehte sie sich um und lief die Verandatreppe hinauf ins Haus. Ich setzte mich für ein paar Minuten, den Kopf in die Hände gestützt, bis ich hörte, wie drinnen das Telefon abgenommen wurde und die Stimme des Butlers ein Taxi rief. Dann schlenderte ich die Einfahrt hinunter, weg vom Haus, um beim Tor zu warten.

Ich war kaum zwanzig Meter weit gekommen, als ich meinen Namen hörte und Gatsby zwischen zwei Büschen hindurch auf den Weg trat. Zu diesem Zeitpunkt war ich wohl schon ziemlich durcheinander, denn ich konnte an nichts anderes denken als an das Leuchten seines rosa Anzugs im Mondschein.

»Was machen Sie da?«, erkundigte ich mich.

»Einfach hier stehen, alter Knabe.«

Irgendwie schien mir das eine zweifelhafte Beschäftigung zu sein. Nach allem, was ich wusste, konnte er jeden Moment das Haus ausrauben; es hätte mich nicht überrascht, hinter ihm im dunklen Gesträuch finstere Gesichter, die Gesichter von ›Wolfshiems Leuten‹ zu sehen.

»Gab es auf der Straße irgendwelche Probleme?«, fragte er nach einer Weile.

»Ja.«

Er zögerte.

»Ist sie tot?«

»Ja.«

»Dachte ich mir; und das habe ich Daisy auch so gesagt. Es ist besser, wenn der Schock gleich mit voller Wucht kommt. Sie hat es ganz gut verkraftet.«

Er sprach, als wäre Daisys Reaktion das Einzige, was zählte.

»Ich habe eine Nebenstraße nach West Egg genommen«, fuhr er fort, »und den Wagen in meine Garage gestellt. Ich glaube nicht, dass uns jemand gesehen hat, auch wenn ich mir da natürlich nicht sicher sein kann.«

Inzwischen empfand ich eine derartige Abneigung gegen ihn, dass ich es nicht für nötig hielt, ihm zu sagen, dass er sich irrte.

»Wer war die Frau?«, fragte er.

»Ihr Name war Wilson. Ihrem Mann gehört die Werkstatt. Wie zum Teufel ist das passiert?«

»Na ja, ich wollte noch das Steuer herumreißen …« Er brach ab, und plötzlich dämmerte mir die Wahrheit.

»Ist Daisy gefahren?«

»Ja«, sagte er nach einem Moment, »aber ich nehme natürlich alles auf mich. Wissen Sie, als wir New York verließen, war sie sehr nervös, und sie dachte, das Fahren würde sie beruhigen – und dann stürzte diese Frau auf uns zu, gerade als uns ein anderes Auto entgegenkam. Es ging alles blitzschnell, aber mir schien, dass sie mit uns sprechen wollte, uns für jemanden hielt, den sie kannte. Tja, zuerst lenkte Daisy den Wagen von der Frau weg und auf das andere Auto zu, aber dann verlor sie die Nerven und lenkte zurück. In derselben Sekunde, in der meine Hand ins Steuer griff, spürte ich den Aufprall – sie muss sofort tot gewesen sein.«

»Es hat sie zerrissen –«

»Ersparen Sie's mir, alter Knabe.« Er zuckte zusammen. »Jedenfalls – Daisy trat aufs Gas. Ich wollte, dass sie anhielt, aber sie konnte nicht, also zog ich die Notbremse. Dann kippte sie einfach um, in meinen Schoß, und ich fuhr weiter.

Morgen geht es wieder besser«, sagte er kurz darauf. »Ich warte hier nur, um zu sehen, ob er sie wegen dieser unschönen Szene heute Nachmittag behelligt. Sie hat sich in ihrem Zimmer eingeschlossen, und wenn er auf irgendeine Weise gewalttätig wird, schaltet sie das Licht aus und wieder an.«

»Er wird sie nicht anrühren«, sagte ich. »Er denkt im Moment nicht an sie.«

»Ich traue ihm nicht, alter Knabe.«

»Wie lange wollen Sie warten?«

»Die ganze Nacht, wenn nötig. Jedenfalls bis alle im Bett liegen.«

Mir kam plötzlich ein neuer Gedanke. Angenommen, Tom fand heraus, dass Daisy gefahren war. Er könnte glauben, dass es da einen Zusammenhang gab – er könnte alles Mögliche glauben. Ich schaute zum Haus hinüber; unten waren zwei oder drei Fenster erleuchtet, darüber glühte der rosa Schein aus Daisys Zimmer im ersten Stock.

»Sie warten hier«, sagte ich. »Ich sehe mal nach, ob es irgendwelche Hinweise auf einen Streit gibt.«

Ich ging am Rand des Rasens entlang zurück, überquerte behutsam den Kiesweg und stieg auf Zehenspitzen die Verandastufen hinauf. Die Salonvorhänge waren geöffnet, und ich sah, dass der Raum leer war. Ich schlich über die Veranda, auf der wir an jenem Juniabend vor drei Monaten gegessen hatten, und kam zu einem kleinen Rechteck aus Licht, vermutlich das Fenster des Anrichtezimmers. Das Rouleau war heruntergezogen, aber unten beim Fensterbrett bemerkte ich einen Spalt.

Daisy und Tom saßen einander gegenüber am Küchentisch, zwischen ihnen ein Teller mit kaltem gebratenen Huhn, daneben zwei Flaschen Ale. Er redete über den Tisch hinweg entschlossen auf sie ein, und in seinem Ernst hatte sich seine Hand auf die ihre gesenkt und sie ganz bedeckt. Gelegentlich blickte sie zu ihm auf und nickte zustimmend.

Sie waren nicht glücklich, und keiner hatte das Huhn und das Ale auch nur angerührt – aber unglücklich waren sie auch nicht. Es lag ein unverkennbarer Ausdruck natürlicher Vertrautheit in dieser Szene, und wohl jeder hätte bestätigt, dass die beiden sich gerade verschworen.

Als ich von der Veranda zurückschlich, hörte ich, wie mein Taxi sich über die dunkle Straße langsam zum Haus vortastete. Gatsby wartete in der Einfahrt, dort wo ich ihn hatte stehen lassen.

»Ist alles ruhig da oben?«, fragte er besorgt.

»Ja, alles ist ruhig.« Ich zögerte. »Sie sollten lieber mit nach Hause kommen und ein wenig schlafen.«

Er schüttelte den Kopf.

»Ich möchte hier warten, bis Daisy schlafen geht. Gute Nacht, alter Knabe.«

Er schob die Hände in die Jackentaschen und wandte sich angespannt wieder der Beobachtung des Hauses zu, als störte meine Anwesenheit das heilige Ritual seiner Nachtwache. So ging ich davon und ließ ihn dort im Mondschein stehen – wachend über nichts.

KAPITEL 8

Ich konnte die ganze Nacht nicht schlafen; ein Nebelhorn stöhnte unablässig über den Sund, und ich warf mich halbkrank zwischen verzerrter Wirklichkeit und wilden Angstträumen hin und her. Kurz vor Tagesanbruch hörte ich ein Taxi in Gatsbys Auffahrt einbiegen, und sofort sprang ich aus dem Bett und zog mich an – ich hatte das Gefühl, ihm etwas sagen, ihn vor etwas warnen zu müssen, und am Morgen wäre es dafür zu spät.

Ich ging über seinen Rasen und sah, dass die Haustür noch offen stand und er in der Halle an einem Tisch lehnte, ganz benommen vor Mutlosigkeit oder Müdigkeit.

»Es ist nichts passiert«, sagte er matt. »Ich habe gewartet, und gegen vier Uhr kam sie ans Fenster und stand dort für eine Minute, dann löschte sie das Licht.«

Sein Haus war mir nie so riesig vorgekommen wie in jener Nacht, als wir die geräumigen Zimmer nach Zigaretten durchstöberten. Wir schoben Vorhänge beiseite, die an Festzelte erinnerten, und tasteten schier endlose dunkle Wände nach Lichtschaltern ab – einmal stolperte ich und landete mit Getöse auf den Tasten eines geisterhaften Klaviers. Überall lag unerklärlich viel Staub, und die Zimmer rochen muffig, als wären sie seit

Tagen nicht gelüftet worden. Auf irgendeinem Tisch fand ich den Humidor, mit zwei alten, trockenen Zigaretten darin. Wir stießen die Fenstertüren des Salons auf und rauchten hinaus in die Dunkelheit.

»Sie sollten verschwinden«, sagte ich. »Man wird Ihren Wagen mit ziemlicher Sicherheit ausfindig machen.«

»Verschwinden, *jetzt*, alter Knabe?«

»Fahren Sie für eine Woche nach Atlantic City oder rauf nach Montreal.«

Er zog es nicht einmal in Betracht. Er konnte Daisy unter keinen Umständen zurücklassen, solange er nicht wusste, was sie tun würde. Er klammerte sich an eine allerletzte Hoffnung, und ich brachte es nicht fertig, ihn davon loszureißen.

In dieser Nacht erzählte er mir die sonderbare Geschichte seiner Jugend bei Dan Cody – erzählte sie mir, weil »Jay Gatsby« an Toms harter Boshaftigkeit zerborsten war wie Glas und der lang gehegte fantastische Traum damit ausgeträumt war. Ich glaube, er hätte jetzt alles zugegeben, rückhaltlos, aber er wollte über Daisy sprechen.

Sie war das erste »feine« Mädchen, das er kennenlernte. Bei verschiedenen nicht näher bezeichneten Gelegenheiten war er bereits mit ihresgleichen in Kontakt gekommen, aber stets war ein unsichtbarer Stacheldraht dazwischen gewesen. Er fand sie auf erregende Weise begehrenswert. Er besuchte sie in ihrem Haus, zunächst mit anderen Offizieren vom Camp Taylor, später allein. Es machte ihn sprachlos – nie zuvor hatte er ein derart prächtiges Haus betreten. Doch was ihm eine Aura atemloser Spannung verlieh, war, dass Daisy dort lebte – für sie war das alles so alltäglich wie für ihn sein Zelt draußen im Lager. Etwas Geheimnisvolles ging von ihm aus, eine Ahnung von Schlafzimmern im oberen Stock, prächtiger und kühler als andere Schlafzimmer, von ausgelassenem, heiterem Treiben auf seinen Fluren und von Romanzen, die nicht muffig und schon in Lavendel erstickt, sondern frisch und lebendig waren, die nach den neuesten glänzenden Autos dufteten und nach Bällen, deren Blütenschmuck eben erst zu welken begann. Es erregte ihn auch, dass Daisy bereits von vielen Männern geliebt worden war – in seinen Augen steigerte das ihren Wert. Überall im Haus spürte er die Gegenwart dieser Männer, die die Luft mit den Schatten und dem Widerhall noch immer vibrierender Leidenschaften erfüllte.

Allerdings war ihm bewusst, dass nur ein ungeheurer Zufall ihn in Daisys Haus geführt hatte. Wie glorreich seine Zukunft als Jay Gatsby auch werden mochte, momentan war er ein mittelloser junger Mann ohne Vergangenheit, und schon im nächsten Augenblick konnte ihm der unsichtbare Deckmantel seiner Uniform von den Schultern rutschen. Also nutzte er die Zeit, so gut es ging. Er nahm, was er kriegen konnte, gierig und skrupellos – und irgendwann in einer stillen Oktobernacht nahm er auch Daisy, nahm sie, weil er eigentlich nicht mal das Recht hatte, ihre Hand zu berühren.

Er hätte sich dafür verachten können, denn er hatte sie zweifellos unter Vorspiegelung falscher Tatsachen erobert. Ich will damit nicht sagen, dass er seine Fantasiemillionen ins Spiel gebracht habe, aber er hatte Daisy vorsätzlich ein Gefühl der Sicherheit vermittelt; er ließ sie glauben, dass er nahezu der gleichen gesellschaftlichen Sphäre entstamme wie sie selbst – dass er voll und ganz in der Lage sei, für sie zu sorgen. In Wirklichkeit verfügte er über keinerlei Mittel dazu – er hatte keine wohlhabende Familie hinter sich, und ganz nach Belieben einer unpersönlichen Staatsmacht konnte es ihn jederzeit in jeden Winkel der Welt verschlagen.

Aber er verachtete sich nicht, und alles kam anders, als er es sich vorgestellt hatte. Wahrscheinlich hatte er sich nehmen wollen, was er kriegen konnte, um dann weiterzuziehen – doch nun merkte er, dass er sich der Suche nach einem Gral verschrieben hatte. Er wusste, dass Daisy eine außergewöhnliche Frau war, aber noch war ihm nicht klar, wie außergewöhnlich ein »feines« Mädchen tatsächlich sein konnte. Sie verschwand in ihrem reichen Haus, in ihr reiches, üppiges Leben und ließ Gatsby zurück – mit nichts. Er fühlte sich mit ihr verheiratet, das war alles.

Als sie sich zwei Tage später wiedertrafen, war Gatsby der Atemlose, der irgendwie Betrogene. Daisys Veranda erstrahlte im Luxus gekauften Sternenlichts; das Weidengeflecht der Sitzbank quietschte vornehm, als sie sich zu ihm drehte und er ihren neugierigen, reizenden Mund küsste. Sie hatte sich erkältet, sodass ihre Stimme heiserer und betörender klang denn je, und Gatsby war überwältigt von der Jugend und dem Geheimnis, die der Reichtum umhegt und erhält, von der Frische der vielen Kleider und von Daisy, glänzend wie Silber, sicher und stolz erhoben über die hitzigen Kämpfe der Armen.

»Ich kann Ihnen nicht beschreiben, wie überrascht ich war, als ich herausfand, dass ich sie liebte, alter Knabe. Eine Zeit lang hoffte ich sogar, sie würde mir den Laufpass geben, aber das tat sie nicht, weil sie sich auch in mich verliebt hatte. Sie dachte, ich wüsste viel, weil ich andere Dinge wusste als sie … Tja, da stand ich nun, meilenweit von meinen Zielen entfernt, mit jeder Minute heftiger verliebt, und mit einem Mal war mir alles andere gleichgültig. Wozu noch große Taten vollbringen, wenn es doch viel reizvoller war, ihr zu erzählen, welche Taten ich gerade plante?«

Am letzten Nachmittag, bevor er nach Übersee ging, saß er mit Daisy in seinen Armen lange Zeit schweigend da. Es war ein kalter Herbsttag, ein Feuer brannte im Zimmer und ihre Wangen waren gerötet. Dann und wann rührte sie sich und er bewegte leicht seinen Arm, und einmal küsste er ihr dunkles glänzendes Haar. Der Nachmittag hatte sie für eine Weile zur Ruhe kommen lassen, als wollte er ihnen eine bleibende Erinnerung schenken für die lange Trennung, die der folgende Tag bereithielt. In ihrem Monat der Liebe waren sie einander nie näher gewesen, hatten sich nie enger verbunden gefühlt als jetzt, da sie mit stummen Lippen die Schulter seines Jacketts streifte oder er ihre Fingerkuppen berührte, so sanft, als schliefe sie.

Im Krieg bewährte er sich hervorragend. Er ging als Hauptmann an die Front, und nach der Schlacht in den Argonnen wurde er zum Major befördert und erhielt das Kommando über die Maschinengewehrabteilung der Division. Nach dem Waffenstillstand bemühte er sich fieberhaft um seine Heimkehr, doch aufgrund irgendeiner Komplikation oder eines Missverständnisses wurde er stattdessen nach Oxford geschickt. Er sorgte sich jetzt – in Daisys Briefen zeigte sich eine gewisse nervöse Verzweiflung. Sie verstand nicht, warum er nicht kommen konnte. Sie fühlte den Druck der äußeren Welt, und sie wollte ihn sehen, wollte seine Gegenwart neben sich spüren und sich vergewissern, dass sie wirklich das Richtige tat.

Denn Daisy war jung, ihre künstliche Welt duftete nach Orchideen, nach wohltuendem, heiterem Snobismus und nach

Orchestern, die den Rhythmus des Jahres vorgaben und in immer neuen Melodien die Traurigkeit und Vieldeutigkeit des Lebens einfingen. Nächtelang heulten die Saxofone den wehmütigen *Beale Street Blues*, während Hunderte Paare goldener und silberner Tanzschuhe durch den schimmernden Staub glitten. Zur grauen Teestunde pochte so mancher Raum unablässig in diesem matten, süßen Fieber, und frische Gesichter schwebten mal hierhin, mal dorthin wie von traurigen Hornklängen übers Parkett geblasene Rosenblüten.

Im Zwielicht dieser Welt bewegte Daisy sich allmählich wieder im Rhythmus der Jahreszeit; plötzlich hatte sie wieder jeden Tag ein halbes Dutzend Rendezvous mit einem halben Dutzend Männer; bei Tagesanbruch fiel sie in einen dämmrigen Schlaf, und neben ihrem Bett auf dem Boden lagen wild verstreut die Perlen und der Chiffon eines Abendkleids zwischen welkenden Orchideen. Und die ganze Zeit über schrie etwas in ihr nach einer Entscheidung. Sie wollte, dass ihr Leben Gestalt annahm, auf der Stelle – und die Entscheidung musste durch irgendeine rasch greifbare Macht – der Liebe, des Geldes, der fraglosen Zweckmäßigkeit – herbeigeführt werden.

Eine solche Macht nahm Mitte des Frühlings Gestalt an, als Tom Buchanan auftauchte. Seine Erscheinung und seine Stellung hatten etwas wohltuend Wuchtiges, und Daisy fühlte sich geschmeichelt. Sicherlich gab es ein gewisses Ringen und eine gewisse Erleichterung. Der Brief erreichte Gatsby, während er noch in Oxford war.

Inzwischen dämmerte der Morgen über Long Island, und wir machten uns daran, die restlichen Fenster im Erdgeschoss zu öffnen, füllten das Haus mit zunächst grau, dann golden werdendem Licht. Der Schatten eines Baums fiel jäh über den Tau, und zwischen den blauen Blättern begannen geisterhafte Vögel ihren Gesang. Ein leiser, angenehmer Lufthauch, kaum Wind zu nennen, regte sich und versprach einen kühlen, herrlichen Tag.

»Ich glaube nicht, dass sie ihn je geliebt hat.« Gatsby drehte sich von einem Fenster zu mir herum und sah mich herausfordernd an. »Denken Sie daran, alter Knabe, wie aufgewühlt sie den ganzen Nachmittag über war. Er sagte ihr all diese Dinge auf eine Art, die ihr Angst machte – die mich wie einen schäbigen kleinen Ganoven aussehen ließ. Und das Ergebnis war, dass sie kaum wusste, was sie sagte.«

Mit düsterer Miene setzte er sich.

»Natürlich, mag sein, sie hat ihn für einen kurzen Moment geliebt, als sie frisch verheiratet waren – aber selbst da hat sie mich noch mehr geliebt, verstehen Sie?«

Unvermittelt machte er eine sonderbare Bemerkung.

»Jedenfalls«, sagte er, »war das rein persönlich.«

Wie anders sollte man das verstehen, als in seiner Vorstellung von der ganzen Sache eine Intensität zu vermuten, die nicht messbar war?

Er kehrte aus Frankreich zurück, als Tom und Daisy noch in den Flitterwochen waren, und begab sich mit dem letzten Rest seines Solds auf eine schmerzliche, aber unwiderstehliche Reise nach Louisville. Er blieb eine Woche, schlenderte durch die Straßen, in denen ihre Schritte gemeinsam durch die Novembernacht geklappert hatten, und besuchte noch einmal die abgelegenen Orte, an die sie mit ihrem weißen Wagen gefahren waren. So wie Daisys Haus ihm stets geheimnisvoller und heiterer erschienen war als andere Häuser, so war auch sein

Bild der Stadt, obwohl Daisy aus ihr verschwunden war, von melancholischer Schönheit durchdrungen.

Bei seiner Abreise hatte er das Gefühl, als hätte er Daisy dort finden können, hätte er nur gewissenhafter gesucht – als ließe er sie dort zurück. In dem billigen Abteil – er besaß jetzt keinen Penny mehr – war es heiß. Er trat hinaus auf die offene Plattform und setzte sich auf einen Klappstuhl; der Bahnhof entschwand dem Blick, die Rückseiten fremder Gebäude glitten vorüber. Dann tauchten sie ein in die Frühlingsfelder, wo ein gelber Straßenbahnwagen ihnen ein kurzes Wettrennen lieferte, mit Leuten darin, die einst vielleicht auf irgendeiner Straße dem blassen Zauber von Daisys Gesicht begegnet waren.

Die Trasse beschrieb eine Kurve und führte nun weg von der Sonne, die sich im Niedersinken wie segnend über die schwindende Stadt zu breiten schien, in der Daisy einst geatmet hatte. Er streckte verzweifelt die Hand aus, wie um wenigstens einen Lufthauch einzufangen, ein kleines Stück jenes Ortes zu bewahren, den sie für ihn so reizvoll gemacht hatte. Doch unter seinem verschwommenen Blick glitt nun alles zu schnell vorüber, und er wusste, dass er diesen Teil, den frischesten und besten, für immer verloren hatte.

Es war neun Uhr, als wir das Frühstück beendeten und auf die Veranda hinaustraten. Über Nacht hatte das Wetter sich merklich verändert, und ein herbstliches Aroma lag in der Luft. Der Gärtner, der letzte von Gatsbys ehemaligen Angestellten, erschien am Fuß der Treppe.

»Ich will heute den Pool trockenlegen, Mr Gatsby. Ziemlich bald fängt das Laub an zu fallen, und dann gibt's immer Probleme mit den Abflüssen.«

»Lassen Sie's heute noch gut sein«, antwortete Gatsby. Er wandte sich entschuldigend an mich. »Wissen Sie, alter Knabe, dass ich diesen Pool den ganzen Sommer lang nie benutzt habe?«

Ich schaute auf meine Uhr und stand auf.

»Mein Zug geht in zwölf Minuten.«

Ich wollte nicht in die Stadt fahren. Ich taugte heute zu keiner anständigen Arbeit, doch das war nicht alles – ich wollte Gatsby nicht allein lassen. Ich verpasste diesen Zug und auch den nächsten, ehe ich mich losreißen konnte.

»Ich rufe Sie an«, sagte ich schließlich.

»Tun Sie das, alter Knabe.«

»Ich melde mich dann gegen Mittag.«

Wir stiegen langsam die Treppe hinunter.

»Bestimmt wird Daisy auch anrufen.« Er betrachtete mich ängstlich, als erhoffte er sich von mir eine Bestätigung.

»Ja, bestimmt.«

»Also, auf Wiedersehen.«

Wir gaben uns die Hand, und ich ging davon. Doch kurz bevor ich die Hecke erreicht hatte, fiel mir etwas ein, und ich drehte mich um.

»Das ist ein elendes Pack«, schrie ich über den Rasen. »Sie sind mehr wert als der ganze verdammte Haufen zusammen.«

Noch heute erleichtert es mich, das gesagt zu haben. Es ist das einzige Kompliment, das ich ihm je gemacht habe, weil mir im Grunde alles an ihm missfiel. Zuerst nickte er höflich, dann breitete sich auf seinem Gesicht jenes strahlende, verständige Lächeln aus, als wären wir in diesem Punkt seit jeher ganz und gar einer Meinung gewesen. Sein rosa Prachtfetzen von einem Anzug bildete einen leuchtenden Farbfleck vor den weißen

Stufen, und ich dachte zurück an den Abend vor drei Monaten, an dem ich zum ersten Mal sein feudales Anwesen betreten hatte. Auf dem Rasen und in der Einfahrt hatten sich die Gesichter all derer gedrängt, die über seine Unlauterkeit spekulierten – und er hatte auf ebendiesen Stufen gestanden und seinen lauteren Traum verborgen gehalten, als er ihnen zum Abschied zuwinkte.

Ich dankte ihm für seine Gastfreundschaft. Dafür hatten wir alle ihm stets gedankt – ich und die anderen.

»Wiedersehen«, rief ich. »Danke fürs Frühstück, Gatsby.«

In der Stadt mühte ich mich eine Weile mit einer schier endlosen Liste von Aktiennotierungen ab, ehe ich in meinem Drehstuhl einschlief. Kurz vor zwölf weckte mich das Telefon, und als ich hochschrak, fühlte ich, wie auf meiner Stirn der Schweiß ausbrach. Es war Jordan Baker; sie rief mich oft um diese Zeit an, weil ihr eigener Tagesablauf zwischen Hotels und Clubs und Privathäusern zu unberechenbar war, als dass man sie auf andere Weise hätte erreichen können. Normalerweise kam ihre Stimme so frisch und kühl durch die Leitung, als wäre ein Rasenstück von einem grünen Küstengolfplatz durch das Bürofenster hereingesegelt, doch an diesem Morgen klang sie trocken und hart.

»Ich bin bei Daisy ausgezogen«, sagte sie. »Ich bin in Hempstead, und heute Nachmittag fahre ich runter nach Southampton.«

Wahrscheinlich war es taktvoll gewesen, bei Daisy auszuziehen, aber es ärgerte mich, und ihre nächste Bemerkung ließ mich stocksteif werden.

»Du warst nicht sonderlich nett zu mir gestern Abend.«

»Hätte es denn etwas geändert?«

Kurzes Schweigen. Dann:

»Wie dem auch sei – ich möchte dich sehen.«

»Ich möchte dich auch sehen.«

»Wie wär's, wenn ich nicht nach Southampton ginge und stattdessen heute Nachmittag in die Stadt käme?«

»Nein – heute Nachmittag besser nicht.«

»Wie du willst.«

»Es geht heute Nachmittag nicht. Es gibt da …«

So redeten wir eine Weile, und dann plötzlich redeten wir nicht mehr. Ich weiß nicht, wer von uns mit einem scharfen Klicken den Hörer auflegte, aber ich weiß, dass es mich nicht kümmerte. An jenem Tag war ich einfach nicht in der Lage, bei einer Tasse Tee mit ihr zu plaudern, selbst wenn das hieß, dass ich in diesem Leben nie wieder mit ihr plaudern würde.

Ein paar Minuten später rief ich bei Gatsby an, doch es war besetzt. Ich versuchte es viermal; schließlich meldete sich aufgebracht die Telefonzentrale und teilte mir mit, die Leitung werde für ein Ferngespräch mit Detroit frei gehalten. Ich nahm meinen Fahrplan heraus und zog einen kleinen Kreis um den Drei-Uhr-fünfzig-Zug. Dann lehnte ich mich in meinem Stuhl zurück und versuchte nachzudenken. Es war gerade zwölf.

Als mein Zug an jenem Morgen an den Aschehügeln vorbeifuhr, saß ich mit Absicht auf der anderen Seite. Ich stellte mir vor, dass sich dort den ganzen Tag eine Menge Schaulustiger herumtrieb, dass kleine Jungen im Staub nach dunklen Flecken suchten und irgendein redseliger Mensch wieder und wieder erzählte, was passiert war, bis es selbst ihm immer weniger real erschien, sodass er es nicht mehr erzählen konnte und Myrtle

Wilsons tragisches Ende vergessen war. Ich möchte jetzt ein kleines Stück zurückgehen und berichten, was in der Werkstatt geschah, nachdem wir sie am Abend zuvor verlassen hatten.

Es erwies sich als schwierig, Catherine, die Schwester, ausfindig zu machen. An jenem Abend hatte sie offenbar ihre selbst auferlegte Alkoholabstinenz vergessen, denn als sie ankam, war sie sturzbetrunken und unfähig zu begreifen, dass der Krankenwagen bereits auf dem Weg nach Flushing war. Als man es ihr endlich klargemacht hatte, fiel sie auf der Stelle in Ohnmacht, als wäre das der unerträgliche Teil der Geschichte. Irgendjemand setzte sie aus Freundlichkeit oder Neugier in sein Auto und fuhr sie zur Totenwache beim Leichnam ihrer Schwester.

Bis weit nach Mitternacht züngelte ein Menschengewühl gegen die Stirnseite der Werkstatt, während George Wilson sich drinnen auf der Couch vor- und zurückwiegte. Eine Zeit lang stand die Tür zum Büro offen, und jeder, der die Werkstatt betrat, warf unweigerlich einen Blick hinein. Schließlich sagte jemand, es sei beschämend, und schloss die Tür. Michaelis und ein paar andere Männer waren bei ihm; zuerst vier oder fünf, später zwei oder drei. Und wieder einige Zeit später musste Michaelis den letzten Verbliebenen bitten, noch fünfzehn Minuten dort zu warten, während er zu sich nach Hause ging und eine Kanne Kaffee kochte. Danach blieb er bis zum Morgengrauen mit Wilson allein.

Gegen drei Uhr veränderte sich Wilsons zusammenhangloses Gemurmel – er wurde ruhiger und begann, über den gelben Wagen zu reden. Er verkündete, dass er schon noch herausfinden werde, wem der gelbe Wagen gehöre, und dann platzte er heraus, ein paar Monate zuvor sei seine Frau mit zerschlagenem Gesicht und geschwollener Nase aus der Stadt zurückgekehrt.

Doch als er sich das sagen hörte, fuhr er zusammen und verfiel aufs Neue mit ächzender Stimme in sein klagendes »O mein Gott!«. Michaelis unternahm einen unbeholfenen Versuch, ihn abzulenken.

»Wie lange bist du nun schon verheiratet, George? Na komm, los, jetzt versuch mal, einen Augenblick still zu sitzen und auf meine Frage zu antworten. Wie lange bist du nun schon verheiratet?«

»Zwölf Jahre.«

»Je Kinder gehabt? Na los, George, sitz still – ich hab dich was gefragt. Hast du jemals Kinder gehabt?«

Harte braune Käfer prallten unentwegt gegen die trübe Lampe, und wann immer Michaelis draußen ein Auto die Straße entlangrasen hörte, klang es für ihn wie der Wagen, der ein paar Stunden zuvor nicht angehalten hatte. Er mochte nicht in die Werkstatt gehen, weil auf der Werkbank, dort wo die Leiche gelegen hatte, Flecken zu sehen waren, und so lief er nervös im Büro hin und her – noch ehe der Morgen anbrach, kannte er jeden Gegenstand in dem Raum –, setzte sich von Zeit zu Zeit neben Wilson und versuchte weiter, ihn zu beruhigen.

»Gibt's irgendeine Kirche, in die du ab und zu gehst, George? Auch wenn du lange nicht da warst? Vielleicht könnte ich in der Kirche anrufen und 'nen Priester bitten herzukommen, um mit dir zu reden, weißt du?«

»Bin in keiner Kirche.«

»Du solltest aber 'ne Kirche haben, George, für Zeiten wie die hier. Du bist doch sicher irgendwann mal zur Kirche gegangen. Hast du nicht in 'ner Kirche geheiratet? Hör zu, George, hör mir zu. Hast du nicht in 'ner Kirche geheiratet?«

»Das ist lange her.«

Die Anstrengung, die ihn das Antworten kostete, brachte ihn aus seinem Wiegerhythmus – und er schwieg für einen Moment. Dann zeigte sich erneut jener halb wissende, halb irre Blick in seinen verblassten Augen.

»Schau in die Schublade da«, sagte er und zeigte auf den Schreibtisch.

»In welche?«

»In diese da – da drüben.«

Michaelis öffnete die Schublade, die ihm am nächsten war. Es lag nichts darin außer einer kleinen, kostspieligen Hundeleine aus Leder und geflochtenem Silber. Sie war offensichtlich neu.

»Die?«, fragte er und hielt sie hoch.

Wilson starrte vor sich hin und nickte.

»Die hab ich gestern Nachmittag gefunden. Sie wollte mir dazu irgendeine Geschichte auftischen, aber ich wusste gleich, dass da was faul war.«

»Du meinst, deine Frau hat das Ding gekauft?«

»Es lag in Seidenpapier eingewickelt auf ihrer Kommode.«

Michaelis konnte nichts Seltsames daran finden, und er nannte Wilson ein Dutzend Gründe, weshalb seine Frau die Hundeleine gekauft haben könnte. Doch vermutlich hatte Wilson einige dieser Erklärungen bereits von Myrtle gehört, denn er verfiel wieder in sein »O mein Gott!«, diesmal mit Flüsterstimme – und sein Tröster ließ davon ab, weitere Gründe aufzuzählen.

»Dann hat er sie umgebracht«, sagte Wilson. Plötzlich stand ihm der Mund offen.

»Wer?«

»Das finde ich schon noch raus.«

»Du bist nicht ganz bei Trost, George«, sagte sein Freund. »Das alles hat dir mächtig zugesetzt, und du weißt nicht, was du da redest. Am besten versuchst du, bis zum Morgen ganz ruhig hier zu sitzen.«

»Er hat sie ermordet.«

»Es war ein Unfall, George.«

Wilson schüttelte den Kopf. Seine Augen verengten sich, und sein Mund dehnte sich leicht im Anflug eines überlegenen »Hm!«.

»Ich weiß schon«, sagte er entschieden, »ich bin einer von diesen vertrauensseligen Typen, und ich will *keinem* was Böses, aber wenn ich einmal was weiß, dann weiß ich's. Es war der Mann in dem Auto. Sie ist rausgerannt, um mit ihm zu reden, und er hat einfach nicht angehalten.«

Michaelis hatte dasselbe gesehen, aber er war nicht auf den Gedanken gekommen, dass es irgendeine besondere Bedeutung haben könnte. Er war überzeugt, Mrs Wilson sei einfach vor ihrem Mann davongelaufen und habe keinen bestimmten Wagen anhalten wollen.

»Wieso hätte sie das tun sollen?«

»Sie hat's faustdick hinter den Ohren«, sagte Wilson, als beantwortete das die Frage. »Ah-h-h…«

Er wiegte sich nun wieder vor und zurück, und Michaelis stand da und drehte die Leine in der Hand.

»Hast du vielleicht irgendeinen Freund, den ich anrufen könnte, George?«

Das war nur eine schwache Hoffnung – er war sich fast sicher, dass Wilson keinen Freund hatte: Selbst für seine Frau reichte es ja nicht. Wenig später bemerkte Michaelis erleichtert eine Veränderung im Raum, einen bläulichen Schimmer beim

Fenster, der ihm die Morgendämmerung ankündigte. Gegen fünf Uhr war das Blau draußen hell genug, um das Licht auszuschalten.

Wilsons glasiger Blick wanderte hinaus zu den Aschehügeln, wo kleine graue Wolken unwirkliche Formen annahmen und im leisen Morgenwind mal hierhin, mal dorthin trieben.

»Ich hab mit ihr gesprochen«, murmelte er nach langem Schweigen. »Hab ihr gesagt, mir kann sie vielleicht was vormachen, aber nicht Gott. Ich hab sie zum Fenster gezogen« – schwerfällig erhob er sich, ging zum hinteren Fenster und presste sein Gesicht an die Scheibe – »und ihr gesagt: ›Gott weiß, was du getan hast, alles weiß er. Mir kannst du vielleicht was vormachen, aber nicht Gott!‹«

Michaelis stand hinter ihm und sah mit einem Schreck, dass er in die Augen von Doktor T. J. Eckleburg blickte, die, blass und riesenhaft, eben aus der schwindenden Nacht aufgetaucht waren.

»Gott sieht alles«, wiederholte Wilson.

»Das ist eine Reklame«, beschwichtigte Michaelis ihn. Dann wandte er sich unwillkürlich vom Fenster ab und schaute wieder ins Zimmer. Wilson jedoch stand noch lange dort, das Gesicht dicht an der Fensterscheibe, und nickte hinaus in die Dämmerung.

Gegen sechs Uhr war Michaelis völlig erschöpft und hörte dankbar, wie draußen ein Wagen vorfuhr. Es war einer der Männer, die am Abend zuvor Wache gehalten und versprochen hatten wiederzukommen, und so bereitete Michaelis ein Frühstück für drei, das er und der andere Mann zu sich nahmen. Wilson war jetzt ruhiger, und Michaelis ging nach Hause, um zu schlafen; als er vier Stunden später erwachte und zur Werkstatt zurückeilte, war Wilson verschwunden.

Seine Spur – er war die ganze Zeit zu Fuß unterwegs – ließ sich nachträglich bis Port Roosevelt und von dort bis Gad's Hill verfolgen, wo er eine Tasse Kaffee bestellte und sich ein Sandwich kaufte, das er nicht aß. Offenbar war er müde und lief nur langsam, denn er erreichte Gad's Hill erst gegen Mittag. Bis hierher war sein Weg ohne Weiteres nachzuvollziehen – ein paar Jungen hatten einen Mann gesehen, der sich »irgendwie verrückt aufführte«, und einige Autofahrer berichteten, er habe sie vom Straßenrand aus so merkwürdig angestarrt. Dann verschwand er für drei Stunden von der Bildfläche. Die Polizei stützte sich auf seine Äußerung gegenüber Michaelis, er werde »das schon noch rausfinden«, und vermutete, dass er in dieser Zeit sämtliche Werkstätten der Gegend abgelaufen sei und sich dort nach einem gelben Wagen erkundigt habe. Andererseits meldete sich kein einziger Werkstattbesitzer, der ihn gesehen hätte, und vielleicht hatte Wilson eine einfachere, sicherere Methode, um herauszufinden, was er wissen wollte. Gegen halb drei war er in West Egg, wo er jemanden nach dem Weg zu Gatsbys Haus fragte. Zu diesem Zeitpunkt also kannte er bereits Gatsbys Namen.

Um zwei Uhr zog Gatsby sich seinen Badeanzug an und trug dem Butler auf, falls irgendjemand anrufe, möge man ihn benachrichtigen, er sei unten am Pool. Er ging zur Garage hinüber, um eine Luftmatratze zu holen, mit der seine Gäste sich den Sommer über vergnügt hatten, und der Chauffeur half ihm, sie aufzupumpen. Dann gab er Anweisung, der offene Wagen dürfe unter keinen Umständen herausgefahren werden –

was merkwürdig war, denn der vordere rechte Kotflügel hatte eine Reparatur nötig.

Gatsby schulterte die Matratze und machte sich auf den Weg zum Pool. Einmal blieb er stehen und rückte sie ein wenig zurecht, und der Chauffeur fragte ihn, ob er Hilfe brauche, aber er schüttelte den Kopf und verschwand einen Augenblick später zwischen den sich gelb färbenden Bäumen.

Es kam kein Telefonanruf, doch der Butler verzichtete auf seinen Mittagsschlaf und wartete bis vier Uhr – bis es längst niemanden mehr gab, dem er eine Nachricht hätte überbringen können. Ich stelle mir vor, dass Gatsby selbst nicht mehr mit dem Anruf rechnete, dass es ihn inzwischen vielleicht gar nicht mehr kümmerte. Falls das so war, dann muss er gespürt haben, dass er die alte, warme Welt verloren und einen hohen Preis dafür gezahlt hatte, allzu lang mit einem einzigen Traum zu leben. Er muss durch ein beängstigendes Blätterdach in einen ihm fremden Himmel hinaufgeschaut haben, muss gezittert haben, als er erkannte, welch groteskes Ding eine Rose ist und wie grausam das Sonnenlicht auf das kaum gediehene Gras fiel. Eine neue Welt, stofflich zwar, doch nicht real, in der armselige Geisterwesen, Träume atmend wie Luft, ganz zufällig umhertrieben … so wie jene aschfahle, unwirkliche Gestalt, die zwischen den formlosen Bäumen hindurch auf ihn zuschwebte.

Der Chauffeur – einer von Wolfshiems Schützlingen – hörte die Schüsse; später konnte er nur sagen, er habe sich nichts weiter dabei gedacht. Ich fuhr vom Bahnhof aus direkt zu Gatsbys Haus, und erst als ich in banger Sorge die vordere Treppe hinaufstürmte, zeigte sich dort überhaupt irgendjemand alarmiert. Doch sie wussten es schon, davon bin ich fest überzeugt.

Kaum ein Wort fiel, als wir zu viert, der Chauffeur, der Butler, der Gärtner und ich, hinunter zum Pool eilten.

Eine schwache, kaum wahrnehmbare Bewegung lief über das Wasser, während der frische Zustrom sich seinen Weg vom einen Ende zum Abfluss am anderen bahnte. Auf winzigen Wellen, ja eigentlich nur einem leichten Kräuseln trieb die beladene Matratze auf dem Pool umher. Ein leiser Windstoß, der kaum die Oberfläche aufrührte, genügte, um den zufälligen Kurs der Matratze mit ihrer zufälligen Last zu stören. Als sie an ein paar Blätter stieß, drehte sie sich langsam um sich selbst und zeichnete, wie der Schenkel eines Zirkels, eine dünne rote Kreisbahn ins Wasser.

Wir hatten uns mit Gatsby bereits auf den Weg zum Haus gemacht, als der Gärtner ein kleines Stück abseits Wilsons Leiche im Gras liegen sah, und das Massaker war perfekt.

KAPITEL 9

Heute, zwei Jahre später, erinnere ich den Rest jenes Tages und den Abend und den folgenden Tag nur als einen endlosen Zug von Polizisten und Fotografen und Reportern, die zu Gatsbys Haustür hinein- und hinausmarschierten. Vor dem Haupttor war ein Seil gespannt, ein Polizist stand davor und hielt die Schaulustigen zurück, doch ein paar kleine Jungen hatten bald entdeckt, dass sie durch meinen Garten hineingelangen konnten, und die ganze Zeit über drängten sich einige von ihnen gaffend um den Pool. Jemand mit entschlossenem Auftreten, vielleicht ein Kriminalbeamter, gebrauchte den Ausdruck »Wahnsinniger«, als er sich an jenem Nachmittag über Wilsons Körper beugte, und die beiläufige Autorität seiner Stimme prägte die Tonart der Zeitungsberichte vom nächsten Morgen.

Die meisten dieser Berichte waren Schauergeschichten – grotesk, weitschweifig, aufgeregt und falsch. Als Michaelis' Zeugenaussage Wilsons Argwohn gegenüber seiner Frau ans Licht brachte, glaubte ich schon, die ganze Geschichte würde nun als schlüpfriges Rührstück serviert – doch Catherine, die alles Mögliche hätte sagen können, sagte kein Wort. Sie bewies dabei sogar ein erstaunliches Maß an Charakterstärke – schaute dem Untersuchungsrichter unter ihren nachgebesserten Brauen mit festem Blick in die Augen und schwor, dass ihre Schwester sich niemals mit Gatsby getroffen habe, dass ihre Schwester mit ihrem Mann vollkommen glücklich gewesen sei, dass ihre Schwester überhaupt nie etwas Unrechtes getan habe. Schließlich hatte sie auch sich selbst davon überzeugt und weinte in ihr Taschentuch, als wäre schon der bloße Verdacht mehr, als sie ertragen konnte. So galt Wilson am Ende schlicht als ein Mann, der »vor Kummer verrückt geworden« war, damit man den Fall so simpel wie möglich halten konnte. Und dabei blieb es.

Doch dieser Teil der Geschichte schien nebensächlich und ohne Belang. Ich fand mich auf Gatsbys Seite wieder, und zwar allein. Von dem Augenblick an, als ich die Nachricht von der Katastrophe telefonisch nach West Egg Village übermittelt hatte, verwies man sämtliche Mutmaßungen über ihn und sämtliche praktischen Fragen an mich. Zuerst war ich überrascht und verwirrt; dann, während er Stunde um Stunde in seinem Haus lag und sich nicht bewegte noch atmete noch sprach, begriff ich allmählich, dass ich verantwortlich war, weil niemand sonst Anteil nahm – und damit meine ich jene tiefe persönliche Anteilnahme, auf die letztlich wohl jeder Mensch ein gewisses Anrecht hat.

Eine halbe Stunde nachdem wir ihn gefunden hatten, rief ich Daisy an, unwillkürlich und ohne zu zögern. Aber sie und Tom waren am frühen Nachmittag weggefahren und hatten Gepäck mitgenommen.

»Sie haben keine Adresse hinterlassen?«

»Nein.«

»Oder gesagt, wann sie zurückkommen?«

»Nein.«

»Irgendein Hinweis, wo sie sind? Wie ich sie erreichen könnte?«

»Ich weiß nicht. Keine Ahnung.«

Ich wollte ihm jemanden herholen. Ich wollte in das Zimmer gehen, wo er lag, und ihm versichern: »Ich hole Ihnen jemanden her, Gatsby. Machen Sie sich keine Sorgen. Vertrauen Sie mir, ich hole Ihnen jemanden her …«

Meyer Wolfshiems Name stand nicht im Telefonbuch. Der Butler gab mir seine Büroadresse am Broadway, und ich rief bei der Auskunft an, doch als ich die Nummer endlich hatte, war es längst nach fünf, und niemand nahm ab.

»Versuchen Sie's noch mal, bitte.«

»Ich hab's doch schon dreimal versucht.«

»Es ist sehr wichtig.«

»Tut mir leid. Ich fürchte, es ist keiner da.«

Ich ging zurück in den Salon, und einen Augenblick lang erschienen mir all diese Amtspersonen, vor denen es dort plötzlich wimmelte, wie zufällige Besucher. Doch obwohl sie das Laken zurückschlugen und Gatsby mit entsetztem Blick betrachteten, hörte ich ihn in meinem Kopf weiter protestieren:

»Wirklich, alter Knabe, Sie müssen mir jemanden herholen. Sie müssen tun, was Sie können. Ich verkrafte das hier nicht allein.«

Irgendjemand fing an, mir Fragen zu stellen, aber ich machte mich davon und lief nach oben, wo ich hastig die unverschlossenen Fächer von Gatsbys Schreibtisch durchsuchte – er hatte mir nie ausdrücklich gesagt, dass seine Eltern gestorben waren. Doch da war nichts – nur die Fotografie von Dan Cody, ein Andenken an vergessene Eskapaden, blickte starr von der Wand herab.

Am nächsten Morgen schickte ich den Butler mit einem Brief an Wolfshiem nach New York, in dem ich um einige Auskünfte bat und ihn beschwor, mit dem nächsten Zug herzukommen. Noch bei der Niederschrift kam mir diese Bitte überflüssig vor. Ich war sicher, er würde sich auf den Weg machen, sobald er die Zeitungen gesehen hatte, so wie ich sicher war, dass noch am Vormittag ein Telegramm von Daisy eintreffen würde – doch es kam weder ein Telegramm noch Mr Wolfshiem; es kam überhaupt niemand, abgesehen von weiteren Polizisten und Fotografen und Reportern. Als der Butler mit Wolfshiems Antwort zurückkehrte, begann sich in mir so etwas wie Trotz zu regen, eine verächtliche Solidarität zwischen Gatsby und mir gegen alle anderen.

Lieber Mr Carraway. Einen so fürchterlichen Schock habe ich mein Lebtag noch nicht erlebt, und ich kann kaum fassen, dass das alles wahr ist. Was dieser Mann da gemacht hat, ist ein Wahnsinn, und es sollte uns alle ans Nachdenken bringen. Ich kann jetzt nicht rüberkommen, weil ich hier in ziemlich heiklen Geschäften stecke und mich im Moment aus dieser Sache raushalten muss. Wenn ich ein bisschen später mal irgendwas tun kann, schicken Sie mir ein paar Zeilen durch Edgar. Ich weiß kaum, wohin mit mir, wenn ich so was wie das hier höre, und bin restlos fertig und erledigt.

   Ihr ergebener
     Meyer Wolfshiem

und darunter noch ein eiliger Zusatz:

Sagen Sie mir Bescheid wegen dem Begräbnis usw., kenne überhaupt keinen von seiner Familie.

Als an jenem Nachmittag das Telefon klingelte und die Vermittlung ein Ferngespräch aus Chicago ankündigte, dachte ich, dass dies nun endlich Daisy sei. Doch als die Verbindung stand, ertönte eine Männerstimme, sehr dünn und weit entfernt.

»Hier Slagle am Apparat …«

»Ja?« Der Name sagte mir nichts.

»Hässliche Sache, was? Is mein Telegramm schon da?«

»Hier sind gar keine Telegramme angekommen.«

»Parke junior sitzt in der Tinte«, sagte er schnell. »Die haben ihn sich gegriffen, als er eben die Aktien übern Schalter schob. Nur fünf Minuten vorher war bei denen ein Rundschreiben aus New York mit den Kennziffern eingetrudelt. Was sagt man dazu, hä? In diesen Provinznestern weiß man aber auch wirklich nie —«

»Hallo!«, unterbrach ich ihn atemlos. »Hören Sie – hier ist nicht Mr Gatsby. Mr Gatsby ist tot.«

Langes Schweigen am anderen Ende der Leitung, gefolgt von einem Ausruf … dann ein kurzes Kreischen, als die Verbindung unterbrochen wurde.

Ich glaube, es war am dritten Tag, als ein Telegramm aus einer Stadt in Minnesota eintraf, gezeichnet Henry C. Gatz. Es hieß darin lediglich, der Absender sei umgehend abgereist und man möge mit der Beisetzung auf ihn warten.

Es war Gatsbys Vater, ein ernster alter Mann, der sehr hilflos und bestürzt wirkte und sich gegen den warmen Septembertag in einen langen, billigen Ulster gehüllt hatte. Seine Augen tränten unaufhörlich vor Aufregung, und als ich ihm Tasche und Regenschirm aus den Händen nahm, begann er, ständig an seinem schütteren grauen Bart herumzuzupfen, sodass ich

Mühe hatte, ihm den Mantel auszuziehen. Er stand kurz vor einem Zusammenbruch, und so führte ich ihn ins Musikzimmer, ließ ihn dort Platz nehmen und schickte nach etwas zu essen. Doch er wollte nichts essen, und das Glas Milch entglitt seiner zittrigen Hand.

»Ich hab's in der Chicagoer Zeitung gesehn«, sagte er. »Es stand alles in der Chicagoer Zeitung. Ich hab mich sofort auf den Weg gemacht.«

»Ich wusste nicht, wie ich Sie erreichen sollte.«

Seine blicklosen Augen wanderten unablässig im Zimmer umher.

»Das war ein Wahnsinniger«, sagte er. »Er muss wahnsinnig gewesen sein.«

»Möchten Sie nicht vielleicht doch etwas Kaffee?«, drängte ich ihn.

»Ich möchte wirklich nichts. Es geht schon wieder, Mister ...«

»Carraway.«

»Nun, es geht schon wieder. Wo haben sie Jimmy hingebracht?«

Ich führte ihn in den Salon, wo sein Sohn lag, und ließ ihn dort allein. Ein paar Jungen waren die Treppe heraufgestiegen und spähten in die Eingangshalle; als ich ihnen sagte, wer gerade gekommen war, machten sie sich widerstrebend davon.

Nach einer kleinen Weile öffnete Mr Gatz die Tür und kam heraus; sein Mund stand offen, sein Gesicht war leicht gerötet, aus seinen Augen sickerten einzelne, späte Tränen. Er hatte ein Alter erreicht, in dem der Tod keine grausige Überraschung mehr ist, und als er sich jetzt zum ersten Mal umschaute und die Höhe und Pracht der Halle sowie der übrigen weitläufigen

Räume bemerkte, die sich von hier aus öffneten und ihrerseits in weitere Räume führten, mischte sich in seinen Kummer allmählich ein ehrfürchtiger Stolz. Ich geleitete ihn zu einem Schlafzimmer im ersten Stock; während er Mantel und Weste ablegte, erklärte ich ihm, dass sämtliche Vorbereitungen bis zu seiner Ankunft aufgeschoben worden waren.

»Ich wusste nicht, welche Wünsche Sie haben, Mr Gatsby –«

»Mein Name ist Gatz.«

»– Mr Gatz. Ich dachte mir, Sie möchten den Leichnam vielleicht in den Westen überführen.«

Er schüttelte den Kopf.

»Jimmy gefiel es schon immer besser im Osten. Hier im Osten hat er Karriere gemacht. Waren Sie ein Freund von meinem Jungen, Mister ...?«

»Wir waren eng befreundet.«

»Er hatte eine große Zukunft vor sich, wissen Sie. Er war noch ein junger Mann, aber hier oben hatte er mächtig viel Grips.«

Er tippte sich bedeutungsschwer an den Kopf, und ich nickte.

»Wenn er weitergelebt hätte, wär er bestimmt ein großer Mann geworden. Einer wie James J. Hill. Er hätt geholfen, das Land aufzubaun.«

»Ganz gewiss«, sagte ich betreten.

Er zupfte ungeschickt an der bestickten Tagesdecke herum in dem Versuch, sie vom Bett zu ziehen, dann legte er sich steif darauf – und schlief sofort ein.

An jenem Abend rief ein offenkundig verängstigter Mann an und wollte zunächst wissen, wer ich sei, ehe er seinen Namen preisgab.

»Hier ist Mr Carraway«, sagte ich.

»Oh!« Er klang erleichtert. »Hier ist Klipspringer.«

Auch ich war erleichtert, da ich nun doch noch auf einen weiteren Freund an Gatsbys Grab hoffen durfte. Ich wollte keine Annonce in die Zeitung setzen und dadurch eine Menge Schaulustiger anlocken, und so hatte ich selbst ein paar Leute angerufen. Sie waren schwer zu finden gewesen.

»Die Trauerfeier ist morgen Nachmittag«, sagte ich. »Drei Uhr, hier im Haus. Es wäre schön, wenn Sie allen Bescheid sagen würden, die vielleicht kommen möchten.«

»Oh, mach ich«, stieß er hastig hervor. »Obwohl's kaum wahrscheinlich ist, dass ich irgendwen sehe, aber falls doch, geb ich's weiter.«

Sein Ton machte mich misstrauisch.

»Sie selbst kommen aber doch wohl.«

»Na ja, werd's natürlich versuchen. Weshalb ich eigentlich anrufe –«

»Augenblick mal«, unterbrach ich ihn. »Warum sagen Sie nicht einfach, dass Sie kommen?«

»Na ja, es ist so – also die Sache ist die, ich bin hier gerade bei ein paar Leuten oben in Greenwich, und die haben mich für Morgen offenbar schon fest eingeplant. Scheint ein Picknick zu geben oder so was. Aber ich seh natürlich zu, dass ich hier wegkomme.«

Mir entfuhr ein unbeherrschtes »Was!«, und er hatte mich wohl gehört, denn er fuhr unsicher fort:

»Weshalb ich eigentlich anrufe, ich hab ein Paar Schuhe bei Gatsby vergessen. Wenn's nicht allzu viele Umstände macht, könnte der Butler sie mir dann kurz rüberschicken? Wissen Sie, es sind Tennisschuhe, und ohne die bin ich ziemlich aufgeschmissen. Meine Adresse ist: c/o B. F. –«

Den Rest des Namens hörte ich nicht mehr, weil ich den Hörer auflegte.

Danach empfand ich Gatsby gegenüber eine gewisse Scham – ein Gentleman, den ich anrief, gab mir zu verstehen, Gatsby habe bekommen, was er verdiene. Das allerdings war meine Schuld, denn er war einer derjenigen, die sich ein ums andere Mal erst mit Gatsbys Schnaps Mut antranken und dann böse über ihn herzogen, und statt ihn anzurufen, hätte ich es besser wissen sollen.

Am Morgen vor der Beerdigung fuhr ich nach New York, um Meyer Wolfshiem aufzusuchen; anscheinend konnte ich ihn auf keine andere Weise erreichen. Die Tür, die ich dem Hinweis eines Liftboys folgend aufstieß, trug die Aufschrift »The Swastika Holding Company«, und zunächst sah es so aus, als wäre das Büro verwaist. Doch nachdem ich mehrmals vergeblich »Hallo!« gerufen hatte, brach hinter einer Trennwand ein Streit aus, und kurz darauf erschien eine hübsche Jüdin in der Tür und musterte mich mit schwarzen, feindseligen Augen.

»Keiner da«, sagte sie. »Mr Wolfshiem ist in Chicago.«

Die erste Aussage war offenkundig unwahr, denn in dem Zimmer hatte jemand begonnen, unmelodisch *The Rosary* zu pfeifen.

»Sagen Sie ihm bitte, dass Mr Carraway ihn sprechen möchte.«

»Ich kann ihn wohl schlecht aus Chicago zurückholen, oder?«

Im selben Moment rief von der anderen Seite der Tür jemand »Stella!« – es war unverkennbar Wolfshiems Stimme.

»Lassen Sie Ihre Karte auf dem Schreibtisch«, sagte sie schnell. »Ich gebe sie ihm, wenn er zurückkommt.«

»Aber ich weiß doch, dass er da ist.«

Sie trat einen Schritt auf mich zu und ließ ihre Hände empört an ihren Hüften auf und ab gleiten.

»Ihr jungen Männer glaubt anscheinend, ihr könnt hier jederzeit einfach so reinplatzen«, giftete sie. »Langsam haben wir's satt. Wenn ich sage, er ist in Chicago, dann *ist* er in Chicago.«

Ich erwähnte Gatsby.

»Oh-h!« Sie musterte mich aufs Neue. »Würden Sie kurz – wie war Ihr Name?«

Sie verschwand. Im nächsten Augenblick stand Meyer Wolfshiem ernst im Türrahmen und streckte mir beide Hände entgegen. Während er mich in sein Büro zog, bemerkte er mit ehrfürchtiger Stimme, es sei eine traurige Zeit für uns alle, dann bot er mir eine Zigarre an.

»Ich hab noch den Tag vor Augen, als ich ihn zum ersten Mal traf«, sagte er. »Ein junger Major, grade aus der Armee raus und mit massenhaft Kriegsorden behängt. Er war dermaßen abgebrannt, dass er dauernd seine Uniform tragen musste, weil er sich keine anständigen Klamotten leisten konnte. Gesehn hab ich ihn das erste Mal, als er in Winebrenners Wettbüro in der Dreiundvierzigsten auftauchte und nach 'nem Job fragte. Er hatte tagelang nichts gegessen. ›Kommen Sie, gehn wir irgendwo was essen‹, hab ich gesagt. Innerhalb von 'ner halben Stunde hat er Futter für mehr als vier Dollar verdrückt.«

»Haben Sie ihn geschäftlich unterstützt?«, erkundigte ich mich.

»Ihn unterstützt? Ich hab ihn gemacht!«

»Oh.«

»Ich hab ihn aus dem Nichts gezogen, direkt aus der Gosse. Hab gleich gesehn, das ist ein vornehmer junger Mann, der macht was her, und als er mir erzählte, er wär in Oggsford gewesen, da wusste ich, den kann ich brauchen. Ich hab ihm gesagt, er soll in die American Legion eintreten, und er hat's dort ziemlich weit gebracht. Vom Fleck weg hat er oben in Albany für 'nen Kunden von mir ein paar Sachen erledigt. Wir waren so dicke, in allem« – er hielt zwei wulstige Finger hoch – »immer zusammen.«

Ich fragte mich, ob diese Partnerschaft sich wohl auch auf die World's-Series-Geschichte von 1919 erstreckt hatte.

»Jetzt ist er tot«, sagte ich nach einer Weile. »Sie waren sein engster Freund, also werden Sie heute Nachmittag doch sicher zu seiner Beerdigung kommen wollen.«

»Das würd ich gern.«

»Na, dann tun Sie's.«

Die Haare in seinen Nasenlöchern zitterten leise, und als er den Kopf schüttelte, füllten sich seine Augen mit Tränen.

»Ich kann's nicht – ich muss mich da raushalten«, sagte er.

»Es gibt nichts mehr, aus dem Sie sich raushalten müssten. Es ist alles vorbei.«

»Wenn einer umgebracht wird, will ich da nicht mit reingezogen werden, auf keinen Fall. Ich halte mich raus. Als ich jung war, sah die Sache noch anders aus – wenn ein Freund von mir starb, egal wie, hab ich fest zu ihm gehalten, bis zum Ende. Sie finden das vielleicht rührselig, aber ich mein's ernst – bis zum bitteren Ende.«

Ich begriff, dass aus er irgendeinem Grund, den er für sich behielt, entschlossen war, nicht zu kommen, also stand ich auf.

»Waren Sie auf dem College?«, erkundigte er sich unvermittelt.

Für einen Moment glaubte ich, er wolle mir ein paar »Gondagde« vermitteln, doch er nickte nur und schüttelte mir die Hand.

»Wir sollten lernen, einem Mann unsere Freundschaft zu zeigen, solange er lebt, und nicht erst, wenn er tot ist«, erklärte er. »Ich jedenfalls hab mir angewöhnt, mich danach in nichts mehr einzumischen.«

Als ich sein Büro verließ, hatte der Himmel sich verdunkelt, und ich kehrte im Nieselregen nach West Egg zurück. Nachdem ich mich umgezogen hatte, ging ich hinüber und sah Mr Gatz in der Eingangshalle erregt auf und ab gehen. Der Stolz auf seinen Sohn und auf die Besitztümer seines Sohnes wuchs stetig, und jetzt hatte er mir etwas zu zeigen.

»Jimmy hat mir mal das Bild hier geschickt.« Mit zitternden Fingern holte er seine Brieftasche hervor. »Schaun Sie.«

Es war eine Fotografie des Hauses, ganz abgegriffen und an den Ecken verknickt. Eifrig wies er mich auf jede Einzelheit hin. »Schaun Sie!«, rief er und blickte mir Bewunderung heischend ins Gesicht. Er hatte es so oft herumgezeigt, dass es für ihn inzwischen vermutlich wirklicher war als das Haus selbst.

»Jimmy hat's mir geschickt. Ich finde, es ist ein sehr schönes Bild. Macht was her.«

»Das tut es. Haben Sie ihn kürzlich noch einmal gesehen?«

»Vor zwei Jahren ist er zu mir rausgekommen und hat mir das Haus gekauft, in dem ich jetzt wohne. Als er damals von zu Hause abgehaun ist, war'n wir natürlich geschiedene Leute, aber heute seh ich, dass er seine Gründe hatte. Er wusste, ihm stand eine große Zukunft bevor. Und seit der Erfolg da war, ist er immer sehr großzügig zu mir gewesen.«

Er mochte das Bild gar nicht aus den Händen lassen und hielt es mir noch eine Weile still unter die Nase. Dann steckte er seine Brieftasche wieder ein und zog aus einer anderen Tasche ein altes zerfleddertes Buch hervor mit dem Titel *Hopalong Cassidy*.

»Schaun Sie hier, das hat ihm gehört, als er ein Junge war. Daran sieht man's.«

Er schlug es von hinten auf und drehte es herum, damit ich es mir ansehen konnte. Auf dem hinteren Deckblatt stand das Wort STUNDENPLAN, daneben das Datum 12. September 1906. Und darunter:

Aufstehen	6.00 Uhr
Hanteltraining und Kletterübungen	6.15 – 6.30 Uhr
Elektrizitätslehre usw. lernen	7.15 – 8.15 Uhr
Arbeiten	8.30 – 16.30 Uhr
Baseball und Sport	16.30 – 17.00 Uhr
Sprechtechnik und sicheres Auftreten üben	17.00 – 18.00 Uhr
Nötige Erfindungen prüfen	19.00 – 21.00 Uhr

ALLGEMEINE VORSÄTZE

Keine Zeit vertrödeln bei Shafters oder [unleserlicher Name]
Keine Zigaretten und Kautabak mehr
Jeden zweiten Tag baden
Pro Woche ein lehrreiches Buch oder eine anständige Zeit-
schrift lesen
Pro Woche $ 5.00 [durchgestrichen] $ 3.00 sparen
Netter zu den Eltern sein

»Ich hab das Buch ganz zufällig gefunden«, sagte der alte Mann. »Daran sieht man's, stimmt's?«

»Daran sieht man's.«

»Jimmy wollte unbedingt was aus sich machen. Ständig hat er irgendwelche Vorsätze gehabt, so wie die hier. Ist Ihnen aufgefallen, wie versessen er drauf ist, sich zu bilden? Darin war er schon immer ganz groß. Einmal hat er zu mir gesagt, ich würd fressen wie ein Schwein, und ich hab ihm dafür eine verpasst.«

Er mochte das Buch gar nicht wieder zuklappen, las mir jeden Eintrag laut vor und sah mich dann begeistert an. Ich glaube, er erwartete fast von mir, dass ich die Liste für meinen eigenen Gebrauch abschreibe.

Kurz vor drei erschien der lutherische Geistliche aus Flushing, und unwillkürlich fing ich an, am Fenster nach weiteren Wagen Ausschau zu halten. Dasselbe tat Gatsbys Vater. Und während die Zeit verging und die Angestellten hereinkamen und wartend in der Halle standen, begannen seine Augen sorgenvoll zu blinzeln, und er sprach auf ängstliche, bekümmerte Weise vom Regen. Der Geistliche schielte mehrmals auf seine Uhr, also nahm ich ihn beiseite und bat ihn, eine halbe Stunde zu warten. Doch es war zwecklos. Niemand kam.

Gegen fünf Uhr erreichte unsere Prozession aus drei Wagen den Friedhof und hielt in dichtem Nieselregen neben dem Tor – zuerst ein Leichenwagen, grauenhaft schwarz und nass, dann Mr Gatz, der Geistliche und ich in der Limousine und nach uns vier oder fünf Angestellte sowie der Postbote aus West Egg in Gatsbys Kombiwagen, allesamt nass bis auf die Haut. Als wir durch das Tor gingen und den Friedhof betraten, hörte ich, wie ein Wagen hielt und kurz darauf jemand über den aufgeweichten Boden hinter uns herplatschte. Ich schaute mich um. Es war der Mann mit der eulenäugigen Brille, den ich in jener Nacht vor drei Monaten staunend vor den Büchern in Gatsbys Bibliothek getroffen hatte.

Seitdem hatte ich ihn nicht mehr gesehen. Ich weiß nicht,

wie er von der Beerdigung erfahren hatte, ich kenne nicht einmal seinen Namen. Der Regen strömte über die dicken Gläser seiner Brille, und er nahm sie ab und wischte sie trocken, um zu sehen, wie das schützende Segeltuch von Gatsbys Grab gerollt wurde.

Ich versuchte dann, einen Augenblick lang an Gatsby zu denken, doch er war schon zu weit weg, und das Einzige, was mir – ohne Groll – in den Sinn kam, war, dass Daisy weder eine Karte noch Blumen geschickt hatte. Dumpf hörte ich jemanden »Selig sind die Toten, auf die der Regen fällt« murmeln, dann sagte der eulenäugige Mann mit tapferer Stimme »Amen, so sei es«.

Jeder für sich hasteten wir durch den Regen zu den Wagen. Am Tor sprach Eulenauge mich an.

»Ich hab's nicht bis zum Haus geschafft«, bemerkte er.

»Genau wie alle anderen.«

»Nicht möglich!« Er war erschüttert. »Gütiger Himmel! Sonst kamen sie doch immer zu Hunderten.«

Er nahm seine Brille ab und trocknete sie erneut, außen wie innen.

»Der arme Mistkerl«, sagte er.

Zu meinen lebhaftesten Erinnerungen gehört die alljährliche Heimfahrt Richtung Westen, wenn in der Vorbereitungsschule und später am College die Weihnachtszeit begann. Wer von Chicago aus noch weiterfuhr, versammelte sich an einem Dezemberabend um sechs Uhr in der alten dämmrigen Union Station, während einige Chicagoer Freunde, die bereits in ihrem ganz eigenen Ferientaumel gefangen waren, ihnen einen hastigen Abschiedsgruß zuriefen. Ich erinnere mich an die Pelzmäntel der Mädchen, die gerade von irgendeiner Miss Soundso kamen, an das Geschnatter gefrorenen Atems, an winkende Hände über den Köpfen, wenn jemand von uns alte Bekannte gesichtet hatte, an das Vergleichen von Einladungen: »Gehst du auch zu den Ordways? den Herseys? den Schultzes?«, und an die langen grünen Fahrkarten, die wir mit behandschuhten Händen fest umklammert hielten. Und zuletzt an die schmutzig gelben Waggons der Chicago, Milwaukee & St. Paul Railroad, die auf den Gleisen hinter der Schranke so fröhlich wirkten wie das Weihnachtsfest selbst.

Wenn wir hinaus in die Winternacht fuhren, der echte Schnee, unser Schnee sich allmählich neben uns ausbreitete und vor den Fenstern zu funkeln begann und die dämmrigen Lichter kleiner Wisconsin-Bahnhöfe vorbeizogen, lag mit einem Mal eine scharfe, heftige Frische in der Luft. Wir sogen sie tief in uns ein, während wir nach dem Abendessen durch die kalten Verbindungsgänge zurückliefen, und waren uns unserer Zugehörigkeit zu diesem Landstrich eine seltsame Stunde lang auf unaussprechliche Weise bewusst, ehe wir wieder vollkommen mit ihm verschmolzen.

Das ist mein Mittlerer Westen – nicht der Weizen oder das Grasland oder die verstreuten Schwedenstädtchen, sondern die erregenden Heimkehrerzüge meiner Jugend, die Straßenlaternen und Schlittenglöckchen in der eisigen Dunkelheit und die Schatten der Stechpalmenkränze, die aus erleuchteten Fenstern hinaus auf den Schnee fielen. Ich bin ein Teil von all dem, ein wenig ernst wegen der langen Winter und ein wenig selbstgefällig, weil ich im Carraway-Haus aufgewachsen bin, in einer Stadt, in der noch heute wie vor Jahrzehnten die Anwesen den Namen der Familie tragen. Ich verstehe jetzt, dass dies letzten Endes eine Geschichte des Westens ist – Tom und Gatsby, Daisy und Jordan und ich, wir alle stammten aus dem Westen, und vielleicht herrschte in uns allen derselbe Mangel, der uns auf hintergründige Weise für das Leben im Osten untauglich machte.

Selbst als mir der Osten am aufregendsten schien, selbst als ich seine Erhabenheit gegenüber den behäbigen, ausladenden, aufgequollenen Städten jenseits des Ohio mit ihrer grenzenlosen inquisitorischen Neugier, vor der nur Kinder und Greise gefeit waren, am deutlichsten spürte – selbst da kam er mir stets vor wie ein Zerrbild. Vor allem West Egg spielt bis heute in meinen abstruseren Träumen eine Rolle. Es erscheint mir nach Art einer nächtlichen Szene von El Greco: Hundert Häuser, zugleich herkömmlich und grotesk, ducken sich unter einem düsteren, ausladenden Himmel und einem glanzlosen Mond. Im Vordergrund schreiten vier ernste Männer in Abendanzügen den Gehweg entlang und tragen eine Bahre, auf der eine betrunkene Frau in einem weißen Abendkleid liegt. Ihre Hand, die an der Seite herunterbaumelt, funkelt kalt vom Glanz der Brillanten. Würdevoll steuern die Männer auf ein Haus zu – das falsche Haus. Doch niemand kennt den Namen der Frau, und niemanden kümmert es.

Nach Gatsbys Tod hatte der Osten für mich etwas Spukhaftes, war zu einem Zerrbild geronnen, das mein Blick nicht mehr zu korrigieren vermochte. Und als der blaue Rauch spröder Blätter in der Luft lag und der Wind die nasse Wäsche auf der Leine steif blies, fasste ich den Entschluss, nach Hause zurückzukehren.

Eine Sache blieb mir noch zu tun, bevor ich abreiste, eine unangenehme, peinliche Sache, die man vielleicht besser hätte auf sich beruhen lassen. Aber ich wollte die Dinge ins Reine bringen und nicht allein darauf vertrauen, dass jenes entgegenkommende und gleichmütige Meer meinen Abfall schon wegspülen werde. Ich traf mich mit Jordan Baker und redete über das und um das herum, was mit uns beiden geschehen war und was danach mit mir geschehen war, und sie lag vollkommen reglos in einem großen Sessel und hörte mir zu.

Sie trug einen Golfdress, und ich erinnere mich, dass sie mir vorkam wie eine gelungene Illustration, das Kinn unbekümmert ein wenig erhoben, das Haar von der Farbe eines Herbstblatts, das Gesicht von der gleichen Bräune wie der fingerlose Handschuh auf ihrem Knie. Als ich fertig war, verkündete sie kommentarlos, sie sei mit einem anderen Mann verlobt. Das bezweifelte ich, auch wenn es mehrere Kandidaten gab, die sie nach einem leisen Nicken sofort hätte heiraten können, und dennoch gab ich mich überrascht. Für einen kurzen Moment fragte ich mich, ob ich nicht einen Fehler machte, dann rief ich mir rasch alles noch einmal in Erinnerung und stand auf, um mich zu verabschieden.

»So oder so, du hast mich fallen lassen«, sagte Jordan plötzlich. »Am Telefon hast du mich fallen lassen. Inzwischen bist du mir völlig egal, aber es war eine neue Erfahrung für mich, und eine Zeit lang war ich ein bisschen verwirrt.«

Wir gaben uns die Hand.

»Oh, und erinnerst du dich an das Gespräch«, fügte sie hinzu, »das wir damals übers Autofahren hatten?«

»Na ja – nicht genau.«

»Als du gesagt hast, ein schlechter Fahrer ist nur so lange sicher, bis er auf einen anderen schlechten Fahrer trifft? Tja, ich bin wohl auf einen anderen schlechten Fahrer getroffen, nicht wahr? Ich meine, es war sorglos von mir, die Sache falsch einzuschätzen. Ich dachte, du wärst ein ziemlich ehrlicher, offener Mensch. Ich dachte, das wär dein heimlicher Stolz.«

»Ich bin dreißig«, sagte ich. »Ich bin fünf Jahre zu alt, um mich selbst zu belügen und es dann ehrenvoll zu nennen.«

Sie antwortete nicht. Verärgert und halb in sie verliebt und ungeheuer traurig, wandte ich mich ab.

Eines Nachmittags Ende Oktober begegnete ich Tom Buchanan. Er ging ein Stück vor mir die Fifth Avenue entlang, auf seine wachsame, angriffslustige Art, die Arme ein wenig nach außen gestreckt, wie um sich mögliche Störenfriede vom Leib zu halten, während sein Kopf mal hierhin, mal dorthin zuckte, um seinem rastlosen Blick zu folgen. Gerade als ich meine Schritte verlangsamte, damit ich ihn nicht einholte, blieb er stehen und besah sich stirnrunzelnd die Auslagen eines Juweliergeschäfts. Plötzlich entdeckte er mich, kam auf mich zu und hielt mir die Hand hin.

»Was ist los, Nick? Du weigerst dich, mir die Hand schütteln?«

»Ja. Du weißt, was ich von dir halte.«

»Du bist verrückt, Nick«, sagte er schnell. »Völlig übergeschnappt. Ich hab keinen Schimmer, was mit dir los ist.«

»Tom«, fragte ich, »was hast du an dem Nachmittag damals zu Wilson gesagt?«

Wortlos starrte er mich an, und ich wusste, dass ich mit meiner Vermutung über jene fehlenden Stunden richtig gelegen hatte. Ich wandte mich bereits zum Gehen, doch er kam mir einen Schritt nach und ergriff meinen Arm.

»Ich hab ihm die Wahrheit gesagt«, begann er. »Er stand unten vor der Tür, kurz bevor wir abfahren wollten, und als ich ihm ausrichten ließ, wir wären nicht da, versuchte er, mit Gewalt die Treppe raufzukommen. Er war verrückt genug, mich zu töten, wenn ich ihm nicht gesagt hätte, wem der Wagen gehörte. Solange er im Haus war, hatte er ständig eine Hand an dem Revolver in seiner Tasche …« Trotzig brach er ab. »Ich hab's ihm gesagt, na und? Der Bursche hat's doch selbst drauf angelegt. Er hat dir Sand in die Augen gestreut, genauso wie er's mit Daisy gemacht hat, dabei war er ein eiskalter Dreckskerl. Er hat Myrtle überfahren wie einen Hund und nicht mal angehalten.«

Es gab nichts, das ich hätte sagen können, außer der einen, unaussprechlichen Tatsache, dass die Wahrheit anders aussah.

»Und falls du glaubst, ich hätte nichts zu leiden gehabt – ich sag's dir, als ich losging, um die Wohnung aufzulösen, und diese verfluchte Schachtel mit Hundekuchen im Regal stehen sah, hab ich mich hingesetzt und geheult wie ein Baby. Mein Gott, war das furchtbar …«

Ihm zu vergeben oder ihn zu mögen, vermochte ich nicht, aber ich begriff, dass ihm das, was er getan hatte, vollkommen gerechtfertigt erschien. Es war alles sehr sorglos und verworren. Beide, Tom und Daisy, waren sorglose Menschen – sie zerstörten Dinge und Lebewesen und zogen sich dann zurück in ihr Geld oder ihre unermessliche Sorglosigkeit oder was immer es war, das sie zusammenhielt, und ließen andere Leute das Chaos beseitigen, das sie angerichtet hatten …

Ich schüttelte ihm die Hand; es schien albern, es nicht zu tun, denn ich fühlte mich plötzlich, als spräche ich mit einem Kind. Dann ging er in das Juweliergeschäft, um eine Perlenkette zu kaufen – oder vielleicht nur ein Paar Manschettenknöpfe –, von meiner provinziellen Zimperlichkeit auf ewig erlöst.

Gatsbys Haus stand immer noch leer, als ich abreiste – das Gras seines Rasens war inzwischen genauso hoch wie meins. Einer der Taxifahrer aus dem Dorf fuhr niemals mit einem Fahrgast am Eingangstor vorbei, ohne für einen Augenblick anzuhalten und hineinzudeuten; vielleicht war er es, der Daisy und Gatsby am Abend des Unfalls hinüber nach East Egg gebracht hatte, und vielleicht hatte er sich darüber eine ganz eigene Geschichte zurechtgelegt. Ich wollte sie nicht hören, und ich ging ihm aus dem Weg, wenn ich aus dem Zug stieg.

Die Samstagabende verbrachte ich in New York, da der Gedanke an Gatsbys glänzende, blendende Partys in mir so lebendig war, dass ich noch immer zu hören meinte, wie Musik und Gelächter schwach und unablässig aus seinem Garten herüberdrangen und wie die Wagen seine Zufahrt hinauf- und hinunterglitten. Eines Nachts hörte ich dort tatsächlich einen Wagen und sah das Licht der Scheinwerfer an Gatsbys Vordertreppe haltmachen. Doch ich ging dem nicht weiter nach. Wahrscheinlich war es irgendein letzter Gast, der eben vom Ende der Welt zurückkehrte und nicht wusste, dass die Party vorüber war.

Am letzten Abend, mein Koffer war gepackt und mein Auto an den Lebensmittelhändler verkauft, ging ich hinüber und betrachtete noch einmal jene riesige, absurde Karikatur eines Hauses. Deutlich hob sich im Mondlicht ein Schimpfwort von den weißen Stufen ab, hingekritzelt von irgendeinem Jungen mit einem Stück Ziegel, und ich wischte es weg, indem ich mit meinem Schuh über den Stein schabte. Dann schlenderte ich hinunter zum Strand und streckte mich auf dem Sand aus.

Die meisten der großen Villen am Ufer waren inzwischen verlassen, und es war kaum ein Licht zu sehen außer dem schattenhaften, dümpelnden Schimmer einer Fähre auf der anderen Seite des Sunds. Und während der Mond höher stieg, schmolzen die seelenlosen Häuser allmählich dahin, bis ich immer klarer jenes alte Eiland vor mir sah, das einst für die Augen holländischer Seefahrer erblühte – die frische grüne Brust einer neuen Welt. Seine verschwundenen Bäume, jene Bäume, die Gatsbys Haus hatten weichen müssen, hatten einst wispernd den letzten und größten aller Menschheitsträume genährt; einen flüchtigen, verzauberten Augenblick lang muss der Mensch im Angesicht dieses Kontinents seinen Atem angehalten haben, hineingezwungen in eine ästhetische Betrachtung, die er weder verstand noch ersehnt hatte, und zum letzten Mal in der Geschichte schaute er staunend das Antlitz eines für ihn fassbaren Wunders.

Und während ich so dasaß und jener alten, unbekannten Welt nachgrübelte, dachte ich an das Wunder, dem Gatsby sich gegenübersah, als er zum ersten Mal das grüne Licht am Ende von Daisys Pier erkannte. Er hatte einen langen Weg hinter sich bis zu diesem blauen Rasen, und sein Traum muss ihm so nah erschienen sein, dass er nur noch danach zu greifen brauchte. Er wusste nicht, dass er bereits hinter ihm lag, irgendwo inmitten des unermesslichen Dunkels jenseits der Stadt, wo sich die düsteren Felder des Landes unter dem Nachthimmel dehnten.

Gatsby glaubte an das grüne Licht, an die verheißungsvolle Zukunft, die Jahr für Jahr vor uns zurückweicht. Gestern noch ist sie uns entkommen, aber was macht das schon – morgen laufen wir schneller, strecken die Arme noch weiter aus … Und eines herrlichen Morgens …

So legen wir uns in die Riemen, rudern gegen den Strom, und fortwährend zieht es uns zurück in die Vergangenheit.